Florbela Espanca

Antologia Poética

Florbela Espanca

Antologia Poética

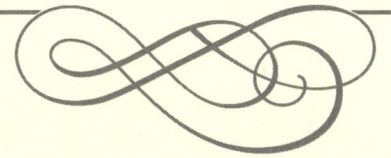

MARTIN CLARET

SUMÁRIO

INTRODUÇÃO | 7
LIVRO DE MÁGOAS | 15
LIVRO DE SÓROR SAUDADE | 51
CHARNECA EM FLOR | 91
RELIQUIÆ | 149
TROCANDO OLHARES | 185
O LIVRO D'ELE | 263

INTRODUÇÃO

A POÉTICA DE FLORBELA

renata soares junqueira*

Florbela d'Alma da Conceição Espanca (Vila Viçosa, 08/12/1894 — Matosinhos, 07/12/1930), filha dos amores ilegítimos de um pequeno burguês (João Maria Espanca) e de uma empregada doméstica (Antónia da Conceição Lobo), nasceu, no Portugal ainda monárquico, sob o signo de uma marginalidade que, explícita desde logo na sua certidão de batismo — documento que a distingue como "filha de pai incógnito" porque o pai, ainda que a tenha acolhido em casa desde o seu nascimento, só a perfilharia, efetivamente, em junho de 1949, quase dezenove anos depois da sua morte —, se infiltrou também, como tema privilegiado, em toda a sua obra literária. A esta obra, quase inteiramente produzida na década de 1920, Fernando Pessoa e os demais feitores do primeiro modernismo português jamais fizeram qualquer referência — ainda que tenham, provavelmente,

---

* Livre-docente em Literatura Portuguesa pela UNESP (*campus* de Araraquara), onde leciona desde 1994 no Curso de Graduação em Letras e no Programa de Pós-Graduação em Estudos Literários. Fez pós-doutorado em Lisboa (Universidade de Lisboa e Universidade Nova de Lisboa) e no Porto (Escola Superior Artística do Porto — ESAP). É autora do livro *Florbela Espanca — Uma Estética da Teatralidade*, publicado em 2003 pela Editora da UNESP.

dela ouvido falar, pelo menos depois da morte de Florbela, quando uma ruidosa e duradoura polêmica, suscitada pela ideia de homenagear a poetisa com um busto em praça pública, invadiu as páginas de vários jornais, de norte a sul do país, no princípio dos anos 30 (José Régio manifestou-se sobre o caso em setembro de 1944, num artigo publicado no *Jornal de Notícias*, do Porto: "Continua o triste folhetim de Florbela Espanca"). Prova também de que ao menos o nome da poetisa não lhes era estranho está nas duas folhas datilografadas (numeradas 66 A-39 e 66 A-40, respectivamente) que se encontram no espólio de Fernando Pessoa, na Biblioteca Nacional de Portugal, em Lisboa, onde se lê um poema de seis estrofes intitulado "À memória de Florbela Espanca".

De resto, Florbela era mesmo marginal — porque era mulher e as mulheres não adentraram o espaço restrito aos homens da Geração de Orpheu, e também porque, movida por circunstâncias da sua vida pessoal, esteve quase sempre confinada a meios provincianos (Vila Viçosa e Évora, no Alentejo; Esmoriz e Matosinhos nas proximidades do Porto), tendo apenas residido em Lisboa pouco mais ou menos de seis anos (provavelmente de outubro de 1917 até meados de novembro de 1923) e, ainda assim, com longos períodos de afastamento da capital para tratamentos de saúde em estâncias termais ou lugares afins (Faro, Quelfes, Pedras Salgadas e, por último, Gonça).

Mas se é certo que Florbela não participou do movimento modernista e nem sequer chegou perto das inovações poéticas a que Fernando Pessoa e os seus camaradas se arrojaram, também é verdade que ela os acompanhou, a par e passo, no gosto das grandes mascaradas e na adoção de uma postura esteticista que tende a louvar tudo o que seja ostensivamente *factício*. Com efeito, toda a escrita de Florbela revela-se prenhe de uma teatralidade que se realiza na pintura de seres

INTRODUÇÃO

e objetos deliberadamente artificiais, visivelmente estereotipados, produtos de uma hábil sofisticação da linguagem. Quer a sua poesia, quer a sua ficção narrativa, quer ainda a sua prosa confessional — a do diário e mesmo a epistolar — aparecem ostensivamente marcadas pelo preciosismo de flores diversas, de fúlgidos brocados, de diamantes e outras gemas cintilantes que ornamentam um cenário em que sempre se apresentam cenas melodramáticas, contrastes artificiosos, exageros às vezes surpreendentes e máscaras frequentemente compostas com o auxílio oportuno de um pseudobiografismo, valiosa estratégia através da qual a escritora se projeta sistematicamente no universo factício da sua criação literária, conferindo a si própria, deste modo, uma espécie de aura mítica que a aproxima das suas personagens de ficção — bem à maneira, aliás, dos esteticistas do *fin-de-siècle*.

Como poetisa, Florbela Espanca cultivou, sobretudo, o soneto, forma exclusiva — que ela algumas vezes soube mesmo explorar até à perfeição — da sua produção mais madura, a que se apresenta nos seus três livros de poemas primeiramente publicados: *Livro de Mágoas* (1919), *Livro de Sóror Saudade* (1923) e *Charneca em Flor* (editado postumamente, em 1931). Além disso, um amigo e admirador de Florbela, o professor italiano Guido Battelli, acrescentou à segunda edição de *Charneca em Flor*, em abril de 1931, vinte e oito sonetos inéditos, da lavra da poetisa, que ali se distinguiam sob o título de *Reliquiae* (a estes sonetos foram ainda acrescentados, em edições posteriores, outros cinco, de maneira que o conjunto de *Reliquiae* ficou com um total de trinta e três sonetos).

Antes, entretanto, de atingir a maturidade poética, Florbela exercitou-se prodigamente em outras formas de poesia, distintas do soneto — formas populares como quadras e quintilhas que, na sua maioria constituídas de redondilhas maiores, dividem com alguns sonetos em decassílabos (nove sonetos apenas) o livro *Trocando Olhares*, que hoje conhecemos como *livro* mas que a poetisa deixou apenas como projeto literário ou como livro virtualmente contido num *caderno manuscrito* — composto entre 10 de maio de 1915 e 30 de abril de 1917 — que tem grande importância como matriz poética propiciadora não só da poesia mais madura de Florbela Espanca, mas também de vários outros projetos de livros de poesia que a autora concebeu como derivados de *Trocando Olhares*. Com efeito, no caderno manuscrito original Florbela ia assinalando poemas que pretendia dali extrair para publicar esparsamente, em diversos jornais e suplementos literários periódicos, ou para dar origem a outros livros poéticos por ela planejados: *Alma de Portugal*; *Primeiros Passos*; *O Livro d'Ele*; *Minha Terra, Meu Amor*; *Primeiros Versos*. Toda essa juvenília poética de Florbela, mormente composta de quadras e quintilhas de gosto popular, parece sugerir um diálogo implícito da poetisa com a lírica trovadoresca galego-portuguesa, sobretudo com as cantigas de amigo, nas quais a voz lírica feminina, convenientemente impostada, lamenta sempre a ausência de um amigo/amado que é o responsável pelas suas alegrias e tristezas segundo uma dialética de aproximação e afastamento que posiciona o sujeito lírico — quem canta — e o seu interlocutor dileto — para quem se canta.

Em última análise, toda a poesia de Florbela Espanca, quer a da maturidade quer o conjunto da sua juvenília, põe em destaque um sujeito lírico que é assumidamente feminino e que se compraz, à maneira de Narciso, em *contemplar-se* e, sobretudo, em *exibir-se*, ostentando máscaras convencionais, convenientemente sustentadas por uma preciosa retórica: ora surge a máscara da princesa encantada, que espera pelo seu príncipe redentor (vejam-se o *Livro de Mágoas* e muitos dos poemas de *Trocando Olhares* e de *O Livro d'Ele*); ora

INTRODUÇÃO

a da monja enclausurada, que se afasta do mundo exterior para mergulhar em si própria e dar largas à sua imaginação onírica (leiam-se o *Livro de Sóror Saudade* e também alguns poemas de *Trocando Olhares* e *O Livro d'Ele*); ora a de uma feiticeira amorosa, que busca num parceiro ideal a imagem invertida de si própria (remeta-se o leitor a *Charneca em Flor* e, mais uma vez, ao inaugural *Trocando Olhares*, no qual se encontram, dentre outros poemas de mesmo teor, as quadras de "Súplica II"); ora, ainda, a de uma velha, desiludida e solitária, que projeta numa Morte idealizada e personificada os sonhos que, na vida, não consegue realizar (lembrem-se alguns dos sonetos de *Reliquiae* e também alguns de *Trocando Olhares* como, por exemplo, o soneto em alexandrinos "Nunca mais!").

Ao matar-se com *overdose* do calmante Veronal, na noite de 7 de dezembro de 1930 — apenas duas horas antes de ter início o dia do trigésimo sexto aniversário do seu nascimento —, Florbela Espanca entrou definitivamente para o mundo das figuras lendárias que os seus poemas obsessivamente (auto) retratam. Foi como lenda, efetivamente, que ela ficou na história da poesia portuguesa – e é como lenda que a têm revisitado em Portugal, nas últimas três décadas, poetas, dramaturgos e ficcionistas como Augusto Sobral (*Bela-Calígula*, "impromptu teatral", 1987), Agustina Bessa-Luís (*A vida e a obra de Florbela Espanca*, biografia-ficção, 1979), Teresa Veiga ("A minha vida com Bela", novela, 1990), Hélia Correia (*Florbela*, teatro, 1991), António Cândido Franco (*A primeira morte de Florbela Espanca*, drama, 1999), Adília Lopes (*Florbela Espanca espanca*, poemas, 1999) e Cristina Silva (*Bela*, romance, 2005).

Prepare-se, pois, o leitor desta antologia para o encantamento da lenda:

"Dou-te, comigo, o mundo que Deus fez!
— Eu sou Aquela de quem tens saudade,
A princesa do conto: 'Era uma vez...'

(Florbela Espanca, "Conto de fadas", *Charneca em Flor*)

ANTOLOGIA POÉTICA DE
Florbela Espanca

LIVRO DE MÁGOAS

1919

A meu Pai
Ao meu melhor amigo

À querida Alma irmã da minha,
Ao meu irmão

Procuremos somente a beleza, que a vida
É um punhado infantil de areia ressequida,
Um som d'água ou de bronze e uma sombra que passa...

Eugénio de Castro

Isolés dans l'amour ainsi qu'en un bois noir,
Nos deux cœurs, exalant leur tendresse paisible,
Seront deux rossignols qui chantent dans le soir.

Paul Verlaine

ESTE LIVRO...

Este livro é de mágoas. Desgraçados
Que no mundo passais, chorai ao lê-lo!
Somente a vossa dor de Torturados
Pode, talvez, senti-lo... e compreendê-lo.

Este livro é para vós. Abençoados
Os que o sentirem, sem ser bom nem belo!
Bíblia de tristes... Ó Desventurados,
Que a vossa imensa dor se acalme ao vê-lo!

Livro de Mágoas... Dores... Ansiedades!
Livro de Sombras... Névoas e Saudades!
Vai pelo mundo... (Trouxe-o no meu seio...)

Irmãos na Dor, os olhos rasos de água,
Chorai comigo a minha imensa mágoa,
Lendo o meu livro só de mágoas cheio!...

VAIDADE

Sonho que sou a Poetisa eleita,
Aquela que diz tudo e tudo sabe,
Que tem a inspiração pura e perfeita,
Que reúne num verso a imensidade!

Sonho que um verso meu tem claridade
Para encher todo o mundo! E que deleita
Mesmo aqueles que morrem de saudade!
Mesmo os de alma profunda e insatisfeita!

Sonho que sou Alguém cá neste mundo...
Aquela de saber vasto e profundo,
Aos pés de quem a Terra anda curvada!

E quando mais no céu eu vou sonhando,
E quando mais no alto ando voando,
Acordo do meu sonho... E não sou nada!...

EU

Eu sou a que no mundo anda perdida,
Eu sou a que na vida não tem norte,
Sou a irmã do Sonho, e desta sorte
Sou a crucificada... a dolorida...

Sombra de névoa tênue e esvaecida,
E que o destino amargo, triste e forte,
Impele brutalmente para a morte!
Alma de luto sempre incompreendida!...

Sou aquela que passa e ninguém vê...
Sou a que chamam triste sem o ser...
Sou a que chora sem saber porquê...

Sou talvez a visão que Alguém sonhou,
Alguém que veio ao mundo pra me ver
E que nunca na vida me encontrou!

CASTELÃ DA TRISTEZA

Altiva e couraçada de desdém,
Vivo sozinha em meu castelo: a Dor!
Passa por ele a luz de todo o amor...
E nunca em meu castelo entrou alguém!

Castelã da Tristeza, vês?... A quem?...
— E o meu olhar é interrogador —
Perscruto, ao longe, as sombras do sol-pôr...
Chora o silêncio... nada... ninguém vem...

Castelã da Tristeza, por que choras
Lendo, toda de branco, um livro de horas,
À sombra rendilhada dos vitrais?...

À noite, debruçada, p'las ameias,[1]
Por que rezas baixinho?... Por que anseias?...
Que sonho afagam tuas mãos reais?...

---

[1] Fortificações ou castelos que protegem; arquitetura militar.

TORTURA

Tirar dentro do peito a Emoção,
A lúcida Verdade, o Sentimento!
— E ser, depois de vir do coração,
Um punhado de cinza esparso ao vento!...

Sonhar um verso de alto pensamento,
E puro como um ritmo de oração!
— E ser, depois de vir do coração,
O pó, o nada, o sonho dum momento...

São assim ocos, rudes, os meus versos:
Rimas perdidas, vendavais dispersos,
Com que eu iludo os outros, com que minto!

Quem me dera encontrar o verso puro,
O verso altivo e forte, estranho e duro,
Que dissesse, a chorar, isto que sinto!!

LÁGRIMAS OCULTAS

Se me ponho a cismar em outras eras
Em que ri e cantei, em que era querida,
Parece-me que foi noutras esferas,
Parece-me que foi numa outra vida...

E a minha triste boca dolorida,
Que dantes tinha o rir das primaveras,
Esbate as linhas graves e severas
E cai num abandono de esquecida!

E fico, pensativa, olhando o vago...
Toma a brandura plácida dum lago
O meu rosto de monja de marfim...

E as lágrimas que choro, branca e calma,
Ninguém as vê brotar dentro da alma!
Ninguém as vê cair dentro de mim!

TORRE DE NÉVOA

Subi ao alto, à minha Torre esguia,
Feita de fumo, névoas e luar,
E pus-me, comovida, a conversar
Com os poetas mortos, todo o dia.

Contei-lhes os meus sonhos, a alegria
Dos versos que são meus, do meu sonhar,
E todos os poetas, a chorar,
Responderam-me então: "Que fantasia,

Criança doida e crente! Nós também
Tivemos ilusões, como ninguém,
E tudo nos fugiu, tudo morreu!..."

Calaram-se os poetas, tristemente...
E é desde então que eu choro amargamente
Na minha Torre esguia junto ao céu!...

A MINHA DOR

A você

A minha Dor é um convento ideal
Cheio de claustros, sombras, arcarias,
Aonde a pedra em convulsões sombrias
Tem linhas dum requinte escultural.

Os sinos têm dobres de agonias
Ao gemer, comovidos, o seu mal...
E todos têm sons de funeral
Ao bater horas, no correr dos dias...

A minha Dor é um convento. Há lírios
Dum roxo macerado de martírios,
Tão belos como nunca os viu alguém!

Nesse triste convento onde eu moro,
Noites e dias rezo e grito e choro,
E ninguém ouve... ninguém vê... ninguém...

DIZERES ÍNTIMOS

É tão triste morrer na minha idade!
E vou ver os meus olhos, penitentes
Vestidinhos de roxo, como crentes
Do soturno convento da Saudade!

E logo vou olhar (com que ansiedade!...)
As minhas mãos esguias, languescentes,
De brancos dedos, uns bebês doentes
Que hão de morrer em plena mocidade!

E ser-se novo é ter-se o Paraíso,
É ter-se a estrada larga, ao sol, florida,
Aonde tudo é luz e graça e riso!

E os meus vinte e três anos... (Sou tão nova!)
Dizem baixinho a rir: "Que linda a vida!..."
Responde a minha Dor: "Que linda a cova!"

AS MINHAS ILUSÕES

Hora sagrada dum entardecer
De Outono, à beira-mar, cor de safira,
Soa no ar uma invisível lira...
O sol é um doente a enlanguescer...

A vaga estende os braços a suster,
Numa dor de revolta cheia de ira,
A doirada cabeça que delira
Num último suspiro, a estremecer!

O sol morreu... e veste luto o mar...
E eu vejo a urna de oiro, a balouçar,
À flor das ondas, num lençol de espuma.

As minhas Ilusões, doce tesoiro,
Também as vi levar em urna de oiro,
No mar da Vida, assim... uma por uma...

NEURASTENIA

Sinto hoje a alma cheia de tristeza!
Um sino dobra em mim Ave-Maria!
Lá fora, a chuva, brancas mãos esguias,
Faz na vidraça rendas de Veneza...

O vento desgrenhado chora e reza
Por alma dos que estão nas agonias!
E flocos de neve, aves brancas, frias,
Batem as asas pela Natureza...

Chuva... tenho tristeza! Mas por quê?!
Vento... tenho saudades! Mas de quê?!
Ó neve que destino triste o nosso!

Ó chuva! Ó vento! Ó neve! Que tortura!
Gritem ao mundo inteiro esta amargura,
Digam isto que sinto que eu não posso!!...

PEQUENINA

À Maria Helena Falcão Risques

És pequenina e ris... A boca breve
É um pequeno idílio cor-de-rosa...
Haste de lírio frágil e mimosa!
Cofre de beijos feito sonho e neve!

Doce quimera que a nossa alma deve
Ao Céu que assim te fez tão graciosa!
Que nesta vida amarga e tormentosa
Te fez nascer como um perfume leve!

O ver o teu olhar faz bem à gente...
E cheira e sabe, a nossa boca, a flores
Quando o teu nome diz, suavemente...

Pequenina que a Mãe de Deus sonhou,
Que ela afaste de ti aquelas dores
Que fizeram de mim isto que sou!

MAIOR TORTURA

Sou a sombra profunda dos espaços
Eu sou a dor de um pobre enlouquecido
Ergo aos céus mudos meus braços
E o céu é sempre azul e sempre nudo.

À Terra não me prendem nenhuns laços
Perco-me em mim na dor de ter vivido!
E não tenho a doçura duns abraços
Que me façam sorrir de ter nascido!

Sou como tu, um cardo desprezado,
A urza que se pisa sob os pés,
Sou como tu, um riso desgraçado!

Mas a minha Tortura ainda é maior:
Não ser poeta, assim como tu és
Para falar assim da minha Dor!

A MAIOR TORTURA

A um grande poeta de Portugal.

Na vida, para mim, não há deleite.
Ando a chorar convulsa noite e dia...
E não tenho uma sombra fugidia
Onde poise a cabeça, onde me deite!

E nem flor de lilás tenho que enfeite
A minha atroz, imensa nostalgia!...
A minha pobre Mãe tão branca e fria
Deu-me a beber a Mágoa no seu leite!

Poeta, eu sou um cardo desprezado,
A urze que se pisa sob os pés.
Sou, como tu, um riso desgraçado!

Mas a minha tortura inda é maior:
Não ser poeta assim como tu és
Para gritar num verso a minha Dor!...

A FLOR DO SONHO

A Flor do Sonho, alvíssima, divina,
Miraculosamente abriu em mim,
Como se uma magnólia de cetim
Fosse florir num muro todo em ruína.

Pende em meu seio a haste branda e fina
E não posso entender como é que, enfim,
Essa tão rara flor abriu assim!...
Milagre... fantasia... ou, talvez, sina...

Ó Flor que em mim nasceste sem abrolhos,
Que tem que sejam tristes os meus olhos
Se eles são tristes pelo amor de ti?!...

Desde que em mim nasceste em noite calma,
Voou ao longe a asa da minh'alma
E nunca, nunca mais eu me entendi...

NOITE DE SAUDADE

A Noite vem poisando devagar
Sobre a Terra, que inunda de amargura...
E nem sequer a bênção do luar
A quis tornar divinamente pura...

Ninguém vem atrás dela a acompanhar
A sua dor que é cheia de tortura...
E eu oiço a Noite imensa soluçar!
E eu oiço soluçar a Noite escura!

Por que és assim tão escura, assim tão triste?!
É que, talvez, ó Noite, em ti existe
Uma Saudade igual à que eu contenho!

Saudade que eu sei donde me vem...
Talvez de ti, ó Noite!... Ou de ninguém!...
Que eu nunca sei quem sou, nem o que tenho!!

ANGÚSTIA

Tortura do pensar! Triste lamento!
Quem nos dera calar a tua voz!
Quem nos dera cá dentro, muito a sós,
Estrangular a hidra num momento!

E não se quer pensar!... e o pensamento
Sempre a morder-nos bem, dentro de nós...
Querer apagar no céu — ó sonho atroz! —
O brilho duma estrela, com o vento!...

E não se apaga, não... nada se apaga!
Vem sempre rastejando como a vaga...
Vem sempre perguntando: "O que te resta?..."

Ah! não ser mais que o vago, o infinito!
Ser pedaço de gelo, ser granito,
Ser rugido de tigre na floresta!

AMIGA

Deixa-me ser a tua amiga, Amor,
A tua amiga só, já que não queres
Que pelo teu amor seja a melhor,
A mais triste de todas as mulheres.

Que só, de ti, me venha mágoa e dor
O que me importa a mim?! O que quiseres
É sempre um sonho bom! Seja o que for,
Bendito sejas tu por m'o dizeres!

Beija-me as mãos, Amor, devagarinho...
Como se os dois nascêssemos irmãos,
Aves cantando, ao sol, no mesmo ninho...

Beija-mas bem!... Que fantasia louca
Guardar assim, fechados, nestas mãos,
Os beijos que sonhei pra minha boca!...

DESEJOS VÃOS

Eu queria ser o Mar de altivo porte
Que ri e canta, a vastidão imensa!
Eu queria ser a Pedra que não pensa,
A pedra do caminho, rude e forte!

Eu queria ser o sol, a luz intensa,
O bem do que é humilde e não tem sorte!
Eu queria ser a árvore tosca e densa
Que ri do mundo vão e até da morte!

Mas o Mar também chora de tristeza...
As árvores também, como quem reza,
Abrem, aos Céus, os braços, como um crente!

E o Sol altivo e forte, ao fim de um dia,
Tem lágrimas de sangue na agonia!
E as Pedras... essas... pisa-as toda a gente!...

PIOR VELHICE

Sou velha e triste. Nunca o alvorecer
Dum riso são andou na minha boca!
Gritando que me acudam, em voz rouca,
Eu, náufraga da Vida, ando a morrer!

A Vida, que ao nascer, enfeita e touca
De alvas rosas a fronte da mulher,
Na minha fronte mística de louca
Martírios só poisou a emurchecer!

E dizem que sou nova... A mocidade
Estará só, então, na nossa idade,
Ou está em nós e em nosso peito mora?!

Tenho a pior velhice, a que é mais triste,
Aquela onde nem sequer existe
Lembrança de ter sido nova... outrora...

A UM LIVRO

No silêncio de cinzas do meu Ser
Agita-se uma sombra de cipreste,
Sombra roubada ao livro que ando a ler,
A esse livro de mágoas que me deste.

Estranho livro aquele que escreveste,
Artista da saudade e do sofrer!
Estranho livro aquele em que puseste
Tudo o que eu sinto, sem poder dizer!

Leio-o, e folheio, assim, toda a minh'alma!
O livro que me deste é meu, e salma
As orações que choro e rio e canto!...

Poeta igual a mim, ai quem me dera
Dizer o que tu dizes!... Quem soubera
Velar a minha Dor desse teu manto!...

ALMA PERDIDA

Toda esta noite o rouxinol chorou,
Gemeu, rezou, gritou perdidamente!
Alma de rouxinol, alma da gente,
Tu és, talvez, alguém que se finou!

Tu és, talvez, um sonho que passou,
Que se fundiu na Dor, suavemente...
Talvez sejas a alma, a alma doente
D'alguém que quis amar e nunca amou!

Toda a noite choraste... e eu chorei
Talvez porque, ao ouvir-te, adivinhei
Que ninguém é mais triste do que nós!

Contaste tanta coisa à noite calma,
Que eu pensei que tu eras a minh'alma
Que chorasse perdida em tua voz!...

DE JOELHOS

"Bendita seja a Mãe que te gerou."
Bendito o leite que te fez crescer.
Bendito o berço aonde te embalou
A tua ama, pra te adormecer!

Bendita essa canção que acalentou
Da tua vida o doce alvorecer...
Bendita seja a Lua, que inundou
De luz, a Terra, só para te ver...

Benditos sejam todos que te amarem,
As que em volta de ti ajoelharem
Numa grande paixão fervente e louca!

E se mais que eu, um dia, te quiser
Alguém, bendita seja essa Mulher,
Bendito seja o beijo dessa boca!!

LANGUIDEZ

Tardes da minha terra, doce encanto,
Tardes duma pureza d'açucenas,
Tardes de sonho, as tardes de novenas,
Tardes de Portugal, as tardes d'Anto,

Como eu vos quero e amo! Tanto! Tanto!
Horas benditas, leves como penas,
Horas de fumo e cinza, horas serenas,
Minhas horas de dor em que eu sou santo!

Fecho as pálpebras roxas, quase pretas,
Que poisam sobre duas violetas,
Asas leves cansadas de voar...

E a minha boca tem uns beijos mudos...
E as minhas mãos, uns pálidos veludos,
Traçam gestos de sonho pelo ar...

PARA QUÊ?!

Tudo é vaidade neste mundo vão...
Tudo é tristeza, tudo é pó, é nada!
E mal desponta em nós a madrugada,
Vem logo a noite encher o coração!

Até o amor nos mente, essa canção
Que o nosso peito ri à gargalhada,
Flor que é nascida e logo desfolhada,
Pétalas que se pisam pelo chão!...

Beijos de amor! Pra quê?!... Tristes vaidades!
Sonhos que logo são realidades,
Que nos deixam a alma como morta!

Só neles acredita quem é louca!
Beijos de amor que vão de boca em boca,
Como pobres que vão de porta em porta!...

AO VENTO

O vento passa a rir, torna a passar,
Em gargalhadas ásperas de demente;
E esta minh'alma trágica e doente
Não sabe se há de rir, se há de chorar!

Vento de voz tristonha, voz plangente,
Vento que ris de mim, sempre a troçar,
Vento que ris do mundo e do amar,
A tua voz tortura toda a gente!...

Vale-te mais chorar, meu pobre amigo!
Desabafa essa dor a sós comigo,
E não rias assim!... Ó vento, chora!

Que eu bem conheço, amigo, esse fadário
Do nosso peito ser como um Calvário,
E a gente andar a rir p'la vida fora!!...

TÉDIO

Passo pálida e triste. Oiço dizer:
"Que branca que ela é! Parece morta!"
E eu que vou sonhando, vaga, absorta,
Não tenho um gesto, ou um olhar sequer...

Que diga o mundo e a gente o que quiser!
— O que é que isso me faz? O que me importa?...
O frio que trago dentro gela e corta
Tudo que é sonho e graça na mulher!

O que é que me importa?! Essa tristeza
É menos dor intensa que frieza,
É um tédio profundo de viver!

E é tudo sempre o mesmo, eternamente...
O mesmo lago plácido, dormente...
E os dias, sempre os mesmos, a correr...

A MINHA TRAGÉDIA

Tenho ódio à luz e raiva à claridade
Do sol, alegre, quente, na subida.
Parece que a minh'alma é perseguida
Por um carrasco cheio de maldade!

Ó minha vã, inútil mocidade,
Trazes-me embriagada, entontecida!...
Duns beijos que me deste noutra vida,
Trago em meus lábios roxos, a saudade!...

Eu não gosto do sol, eu tenho medo
Que me leiam nos olhos o segredo
De não amar ninguém, de ser assim!

Gosto da Noite imensa, triste, preta,
Como esta estranha e doida borboleta
Que eu sinto sempre a voltejar em mim!...

SEM REMÉDIO

Aqueles que me têm muito amor
Não sabem o que sinto e o que sou...
Não sabem que passou, um dia, a Dor
À minha porta e, nesse dia, entrou.

E é desde então que eu sinto este pavor,
Este frio que anda em mim, e que gelou
O que de bom me deu Nosso Senhor!
Se eu nem sei por onde ando e onde vou!!

Sinto os passos da Dor, essa cadência
Que é já tortura infinda, que é demência!
Que é já vontade doida de gritar!

E é sempre a mesma mágoa, o mesmo tédio,
A mesma angústia funda, sem remédio,
Andando atrás de mim, sem me largar!

MAIS TRISTE

É triste, diz a gente, a vastidão
Do mar imenso! E aquela voz fatal
Com que ele fala, agita o nosso mal!
E a Noite é triste como a Extrema-Unção!

É triste e dilacera o coração
Um poente do nosso Portugal!
E não veem que eu sou... eu... afinal,
A coisa mais magoada das que o são?!...

Poentes de agonia trago-os eu
Dentro de mim e tudo quanto é meu
É um triste poente de amargura!

E a vastidão do Mar, toda essa água
Trago-a dentro de mim num mar de Mágoa!
E a noite sou eu própria! A Noite escura!!

VELHINHA

Se os que me viram já cheia de graça
Olharem bem de frente para mim,
Talvez, cheios de dor, digam assim:
"Já ela é velha! Como o tempo passa!..."

Não sei rir e cantar por mais que faça!
Ó minhas mãos talhadas em marfim,
Deixem esse fio de oiro que esvoaça!
Deixem correr a vida até ao fim!

Tenho vinte e três anos! Sou velhinha!
Tenho cabelos brancos e sou crente...
Já murmuro orações... falo sozinha...

E o bando cor-de-rosa dos carinhos
Que tu me fazes, olho-os indulgente,
Como se fosse um bando de netinhos...

EM BUSCA DO AMOR

O meu Destino disse-me a chorar:
"Pela estrada da Vida vai andando,
E, aos que vires passar, interrogando
Acerca do Amor, que hás de encontrar."

Fui pela estrada a rir e a cantar,
As contas do meu sonho desfiando...
E noite e dia, à chuva e ao luar,
Fui sempre caminhando e perguntando...

Mesmo a um velho eu perguntei: "Velhinho,
Viste o Amor acaso em teu caminho?"
E o velho estremeceu... olhou... e riu...

Agora pela estrada, já cansados,
Voltam todos pra trás desanimados...
E eu paro a murmurar: "Ninguém o viu!..."

IMPOSSÍVEL

Disseram-me hoje, assim, ao ver-me triste:
"Parece Sexta-Feira de Paixão.
Sempre a cismar, cismar de olhos no chão,
Sempre a pensar na dor que não existe...

O que é que tem?! Tão nova e sempre triste!
Faça por estar contente! Pois então?!..."
Quando se sofre, o que se diz é vão...
Meu coração, tudo, calado, ouviste...

Os meus males ninguém mos adivinha...
A minha Dor não fala, anda sozinha...
Dissesse ela o que sente! Ai quem me dera!...

Os males de Anto toda a gente os sabe!
Os meus... ninguém... A minha Dor não cabe
Nos cem milhões de versos que eu fizera!...

LIVRO DE SÓROR SAUDADE

1923

Irmã, Sóror Saudade, ah! se eu pudesse
Tocar de aspiração a nossa vida,
Fazer do mundo a Terra Prometida
Que ainda em sonho às vezes me aparece!

Américo Durão

Il n'a pas à se plaindre celui qui attend
un sentiment plus ardent et plus généreux.
Il n'a pas à se plaindre celui qui attend
le désir d'un peu plus de bonheur, d'un
peu plus de beauté, d'un peu plus de justice.

Maurice Maeterlinck
La Sagesse et la Destinée

SÓROR SAUDADE

A Américo Durão

Irmã, Sóror Saudade, me chamaste...
E na minh'alma o nome iluminou-se
Como um vitral ao sol, como se fosse
A luz do próprio sonho que sonhaste.

Numa tarde de Outono o murmuraste;
Toda a mágoa do Outono ele me trouxe;
Jamais me hão de chamar outro mais doce;
Com ele bem mais triste me tornaste...

E baixinho, na alma de minh'alma,
Como bênção de sol que afaga e acalma,
Nas horas más de febre e de ansiedade,

Como se fossem pétalas caindo,
Digo as palavras desse nome lindo
Que tu me deste: "Irmã, Sóror Saudade"...

O NOSSO LIVRO

A.A.G.

Livro do meu amor, do teu amor,
Livro do nosso amor, do nosso peito...
Abre-lhe as folhas devagar, com jeito,
Como se fossem pétalas de flor.

Olha que eu outro já não sei compor
Mais santamente triste, mais perfeito
Não esfolhes os lírios com que é feito
Que outros não tenho em meu jardim de dor!

Livro de mais ninguém! Só meu! Só teu!
Num sorriso tu dizes e digo eu:
Versos só nossos mas que lindos sois!

Ah! meu Amor! Mas quanta, quanta gente
Dirá, fechando o livro docemente:
"Versos só nossos, só de nós os dois!..."

O QUE TU ÉS

És Aquela que tudo te entristece,
Irrita e amargura, tudo humilha;
Aquela a quem a Mágoa chamou filha;
A que aos homens e a Deus nada merece.

Aquela que o sol claro entenebrece,
A que nem sabe a estrada que ora trilha,
Que nem um lindo amor de maravilha
Sequer deslumbra, e ilumina e aquece!

Mar Morto sem marés nem ondas largas,
A rastejar no chão, como as mendigas,
Todo feito de lágrimas amargas!

És ano que não teve Primavera...
Ah! Não seres como as outras raparigas
Ó Princesa Encantada da Quimera!...

FANATISMO

Minh'alma, de sonhar-te, anda perdida!
Meus olhos andam cegos de te ver!
Não és sequer razão do meu viver,
Pois que tu és já toda a minha vida!

Não vejo nada assim enlouquecida...
Passo no mundo, meu Amor, a ler
No misterioso livro do teu ser
A mesma história tantas vezes lida!

"Tudo no mundo é frágil, tudo passa..."
Quando me dizem isto, toda a graça
Duma boca divina fala em mim!

E, olhos postos em ti, digo de rastros:
"Ah! Podem voar mundos, morrer astros,
Que tu és como Deus: Princípio e Fim!..."

ALENTEJANO

À Buja

Deu agora meio-dia; o sol é quente
Beijando a urze triste dos outeiros.
Nas ravinas do monte andam ceifeiros
Na faina, alegres, desde o sol nascente.

Cantam as raparigas, brandamente,
Brilham os olhos negros, feiticeiros;
E há perfis delicados e trigueiros
Entre as altas espigas d' oiro ardente.

A terra prende aos dedos sensuais
A cabeleira loira dos trigais
Sob a bênção dulcíssima dos Céus.

Há gritos arrastados de cantigas...
E eu sou uma daquelas raparigas...
E tu passas e dizes: "Salve-os Deus!"

FUMO

Longe de ti são ermos os caminhos,
Longe de ti não há luar nem rosas,
Longe de ti há noites silenciosas,
Há dias sem calor, beirais sem ninhos!

Meus olhos são dois velhos pobrezinhos
Perdidos pelas noites invernosas...
Abertos, sonham mãos cariciosas,
Tuas mãos doces, plenas de carinhos!

Os dias são Outonos: choram... choram...
Há crisântemos roxos que descoram...
Há murmúrios dolentes de segredos...

Invoco o nosso sonho! Estendo os braços!
E ele é, ó meu Amor, pelos espaços,
Fumo leve que foge entre os meus dedos!...

QUE IMPORTA?...

Eu era a desdenhosa, a indiferente.
Nunca sentira em mim o coração
Bater em violências de paixão,
Como bate no peito à outra gente.

Agora, olhas-me tu altivamente,
Sem sombra de desejo ou de emoção,
Enquanto a asa loira da ilusão
Dentro em mim se desdobra a um sol nascente.

Minh'alma, a pedra, transformou-se em fonte;
Como nascida em carinhoso monte,
Toda ela é riso, e é frescura e graça!

Nela refresca a boca um só instante ...
Que importa?... Se o cansado viandante
Bebe em todas as fontes... quando passa?...

O MEU ORGULHO

Lembro-me o que fui dantes. Quem me dera
Não me lembrar! Em tardes dolorosas
Eu lembro-me que fui a Primavera
Que em muros velhos fez nascer as rosas!

As minhas mãos, outrora carinhosas,
Pairavam como pombas... Quem soubera
Porque tudo passou e foi quimera,
E porque os muros velhos não dão rosas!

São sempre os que eu recordo que me esquecem...
Mas digo para mim: "Não me merecem..."
E já não fico tão abandonada!

Sinto que valho mais, mais pobrezinha:
Que também é orgulho ser sozinha,
E também é nobreza não ter nada!

OS VERSOS QUE TE FIZ

Deixa dizer-te os lindos versos raros
Que a minha boca tem pra te dizer!
São talhados em mármore de Paros
Cinzelados por mim pra te oferecer.

Tem dolência de veludos caros,
São como sedas pálidas a arder...
Deixa dizer-te os lindos versos raros
Que foram feitos pra te endoidecer!

Mas, meu Amor, eu não t'os digo ainda...
Que a boca da mulher é sempre linda
Se dentro guarda um verso que não diz!

Amo-te tanto! E nunca te beijei...
E nesse beijo, Amor, que eu te não dei
Guardo os versos mais lindos que te fiz!

FRIEZA

Os teus olhos são frios como espadas,
E claros como os trágicos punhais;
Têm brilhos cortantes de metais
E fulgores de lâminas geladas.

Vejo neles imagens retratadas
De abandonos cruéis e desleais,
Fantásticos desejos irreais,
E todo o oiro e o sol das madrugadas!

Mas não te invejo, Amor, essa indiferença,
Que viver neste mundo sem amar
É pior que ser cego de nascença!

Tu invejas a dor que vive em mim!
E quanta vez dirás a soluçar:
"Ah! Quem me dera, Irmã, amar assim!..."

O MEU MAL

A meu Irmão

Eu tenho lido em mim, sei-me de cor,
Eu sei o nome ao meu estranho mal:
Eu sei que fui a renda dum vitral,
Que fui cipreste e caravela e dor!

Fui tudo que no mundo há de maior,
Fui cisne, e lírio, e águia, e catedral!
E fui, talvez, um verso de Nerval,
Ou um cínico riso de Chamfort...

Fui a heráldica flor de agrestes cardos,
Deram as minhas mãos aroma aos nardos...
Deu cor ao eloendro a minha boca...

Ah! De Boabdil[1] fui lágrima na Espanha!
E foi de lá que eu trouxe esta ânsia estranha!
Mágoa não sei de quê! Saudade louca!

---

[1] Modificação do nome Abu Abdil-lah, o último rei de Granada, região da Espanha ainda em domínio dos mulçumanos, no século XV.

A NOITE DESCE...

Como pálpebras roxas que tombassem
Sobre uns olhos cansados, carinhosas,
A noite desce... Ah! doces mãos piedosas
Que os meus olhos tristíssimos fechassem!

Assim mãos de bondade me embalassem!
Assim me adormecessem, caridosas,
E em braçadas de lírios e mimosas,
No crepúsculo que desce me enterrassem!

A noite em sombra e fumo se desfaz...
Perfume de baunilha ou de lilás,
A noite põe-me embriagada, louca!

E a noite vai descendo muda e calma...
Meu doce Amor, tu beijas a minh'alma
Beijando nesta hora a minha boca!

CARAVELAS

Cheguei a meio da vida já cansada
De tanto caminhar! Já me perdi!
Dum estranho país que nunca vi
Sou neste mundo imenso a exilada.

Tanto tenho aprendido e não sei nada.
E as torres de marfim que construí
Em trágica loucura as destruí
Por minhas próprias mãos de malfadada!

Se eu sempre fui assim este Mar Morto:
Mar sem marés, sem vagas e sem porto
Onde velas de sonhos se rasgaram!

Caravelas doiradas a bailar...
Ai quem me dera as que eu deitei ao Mar!
As que eu lancei à vida, e não voltaram!...

INCONSTÂNCIA

Procurei o amor, que me mentiu.
Pedi à Vida mais do que ela dava;
Eterna sonhadora edificava
Meu castelo de luz que me caiu!

Tanto clarão nas trevas refulgiu,
E tanto beijo a boca me queimava!
E era o sol que os longes deslumbrava
Igual a tanto sol que me fugiu!

Passei a vida a amar e a esquecer...
Atrás do sol dum dia outro a aquecer
As brumas dos atalhos por onde ando...

E este amor que assim me vai fugindo
É igual a outro amor que vai surgindo,
Que há de partir também... nem eu sei quando...

O NOSSO MUNDO

Eu bebo a Vida, a Vida, a longos tragos
Como um divino vinho de Falerno![2]
Pousando em ti o meu olhar eterno
Como pousam as folhas sobre os lagos...

Os meus sonhos agora são mais vagos...
O teu olhar em mim, hoje, é mais terno...
E a Vida já não é o rubro inferno
Todo fantasmas tristes e pressagos!

A Vida, meu Amor, quero vivê-la!
Na mesma taça erguida em tuas mãos,
Bocas unidas, hemos de bebê-la!

Que importa o mundo e as ilusões defuntas?...
Que importa o mundo e seus orgulhos vãos?...
O mundo, Amor!... As nossas bocas juntas!...

---

[2] Vinho que era produzido em Falerno, na Itália.

PRINCE CHARMANT...

A Raul Proença

No lânguido esmaecer das amorosas
Tardes que morrem voluptuosamente
Procurei-O no meio de toda a gente.
Procurei-O em horas silenciosas!

Ó noites da minh'alma tenebrosas!
Boca sangrando beijos, flor que sente...
Olhos postos num sonho, humildemente...
Mãos cheias de violetas e de rosas...

E nunca O encontrei!... Prince Charmant...
Como audaz cavaleiro em velhas lendas
Virá, talvez, nas névoas da manhã!

Em toda a nossa vida anda a quimera
Tecendo em frágeis dedos frágeis rendas...
— Nunca se encontra Aquele que se espera!...

ANOITECER

A luz desmaia num fulgor d'aurora,
Diz-nos adeus religiosamente...
E eu que não creio em nada, sou mais crente
Do que em menina, um dia, o fui... outrora...

Não sei o que em mim ri, o que em mim chora,
Tenho bênçãos de amor pra toda a gente!
E a minha alma, sombria e penitente
Soluça no infinito desta hora...

Horas tristes que são o meu rosário...
Ó minha cruz de tão pesado lenho!
Ó meu áspero e intérmino Calvário!

E a esta hora tudo em mim revive:
Saudades de saudades que não tenho...
Sonhos que são os sonhos dos que eu tive...

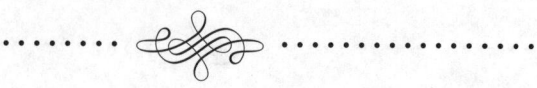

ESFINGE

Sou filha da charneca erma e selvagem:
Os giestais, por entre os rosmaninhos,
Abrindo os olhos d' oiro, p'los caminhos,
Desta minh'alma ardente são a imagem.

E ansiosa desejo — ó vã miragem —
Que tu e eu, em beijos e carinhos,
Eu a Charneca, e tu o Sol, sozinhos,
Fôssemos um pedaço da paisagem!

E à noite, à hora doce da ansiedade,
Ouviria da boca do luar
O *De Profundis* triste da saudade...

E, à tua espera, enquanto o mundo dorme,
Ficaria, olhos quietos, a cismar...
Esfinge olhando, na planície enorme...

TARDE DEMAIS...

Quando chegaste enfim, para te ver
Abriu-se a noite em mágico luar;
E para o som de teus passos conhecer
Pôs-se o silêncio, em volta, a escutar...

Chegaste, enfim! Milagre de endoidar!
Viu-se nessa hora o que não pode ser:
Em plena noite, a noite iluminar
E as pedras do caminho florescer!

Beijando a areia de oiro dos desertos
Procurara-te em vão! Braços abertos,
Pés nus, olhos a rir, a boca em flor!

E há cem anos que eu era nova e linda!...
E a minha boca morta grita ainda:
Por que chegaste tarde, ó meu Amor?!...

CINZENTO

Poeiras de crepúsculos cinzentos.
Lindas rendas velhinhas, em pedaços,
Prendem-se aos meus cabelos, aos meus braços,
Como brancos fantasmas, sonolentos...

Monges soturnos deslizando lentos,
Devagarinho, em misteriosos passos...
Perde-se a luz em lânguidos cansaços...
Ergue-se a minha cruz dos desalentos!

Poeiras de crepúsculos tristonhos,
Lembram-me o fumo leve dos meus sonhos,
A névoa das saudades que deixaste!

Hora em que o teu olhar me deslumbrou...
Hora em que a tua boca me beijou...
Hora em que fumo e névoa te tornaste...

NOTURNO

Amor! Anda o luar todo bondade,
Beijando a Terra, a desfazer-se em luz...
Amor! São os pés brancos de Jesus
Que anda pisando as ruas da cidade!

E eu ponho-me a pensar... Quanta saudade
Das ilusões e risos que em ti pus!
Traçaste em mim os braços duma cruz,
Neles pregaste a minha mocidade!

Minh'alma que eu te dei, cheia de mágoas,
É nesta noite o nenúfar de um lago
Estendendo as asas brancas sobre as águas!

Pousa as mãos nos meus olhos, com carinho,
Fecha-os num beijo dolorido e vago...
E deixa-me chorar devagarinho...

MARIA DAS QUIMERAS

Maria das Quimeras me chamou
Alguém... Pelos castelos que eu ergui,
P'las flores de oiro e azul que a sol teci
Numa tela de sonho que estalou.

Maria das Quimeras me ficou;
Com elas na minh'alma adormeci.
Mas, quando despertei, nem uma vi,
Que da minh'alma, Alguém, tudo levou!

Maria das Quimeras, que fim deste
Às flores de oiro e azul que a sol bordaste,
Aos sonhos tresloucados que fizeste?

Pelo mundo, na vida, o que é que esperas?...
Aonde estão os beijos que sonhaste,
Maria das Quimeras, sem quimeras?

SAUDADES

Saudades! Sim... talvez... e por que não?...
Se o nosso sonho foi tão alto e forte
Que bem pensara vê-lo até à morte
Deslumbrar-me de luz o coração!

Esquecer! Para quê?... Ah! como é vão!
Que tudo isso, Amor, nos não importe.
Se ele deixou beleza que conforte
Deve-nos ser sagrado como o pão!

Quantas vezes, Amor, já te esqueci,
Para mais doidamente me lembrar,
Mais doidamente me lembrar de ti!

E quem dera que fosse sempre assim:
Quanto menos quisesse recordar
Mais a saudade andasse presa a mim!

O QUE ALGUÉM DISSE

"Refugia-te na Arte" diz-me Alguém
"Eleva-te num voo espiritual,
Esquece o teu amor, ri do teu mal,
Olhando-te a ti própria com desdém.

Só é grande e perfeito o que nos vem
Do que em nós é Divino e imortal!
Cega de luz e tonta de ideal
Busca em ti a Verdade e em mais ninguém!"

No poente dourado como a chama
Estas palavras morrem... E n'Aquele
Que é triste, como eu, fico a pensar...

O poente tem alma: sente e ama!
E, porque o sol é cor dos olhos d'Ele,
Eu fico olhando o sol, a soluçar...

RUÍNAS

Se é sempre Outono o rir das Primaveras,
Castelos, um a um, deixa-os cair...
Que a vida é um constante derruir
De palácios do Reino das Quimeras!

E deixa sobre as ruínas crescer heras.
Deixa-as beijar as pedras e florir!
Que a vida é um contínuo destruir
De palácios do Reino das Quimeras!

Deixa tombar meus rútilos castelos!
Tenho ainda mais sonhos para erguê-los
Mais alto do que as águias pelo ar!

Sonhos que tombam! Derrocada louca!
São como os beijos duma linda boca!
Sonhos!... Deixa-os tombar... deixa-os tombar...

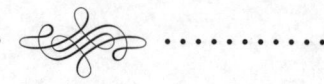

CREPÚSCULO

Teus olhos, borboletas de oiro, ardentes
Borboletas de sol, de asas magoadas,
Pousam nos meus, suaves e cansadas,
Como em dois lírios roxos e dolentes...

E os lírios fecham... Meu amor não sentes?
Minha boca tem rosas desmaiadas,
E as minhas pobres mãos são maceradas
Como vagas saudades de doentes...

O Silêncio abre as mãos... entorna rosas...
Andam no ar carícias vaporosas
Como pálidas sedas, arrastando...

E a tua boca rubra ao pé da minha
É na suavidade da tardinha
Um coração ardente, palpitando...

ÓDIO?

À Aurora Aboim

Ódio por ele? Não... Se o amei tanto,
Se tanto bem lhe quis no meu passado,
Se o encontrei depois de o ter sonhado,
Se à vida assim roubei todo o encanto...

Que importa se mentiu? E se hoje o pranto
Turva o meu triste olhar, marmorizado,
Olhar de monja, trágico, gelado
Como um soturno e enorme Campo Santo!

Ah! Nunca mais amá-lo é já bastante!
Quero senti-lo d'outra, bem distante,
Como se fora meu, calma e serena!

Ódio seria em mim saudade infinda,
Mágoa de o ter perdido, amor ainda.
Ódio por ele? Não... não vale a pena.

RENÚNCIA

A minha mocidade outrora eu pus
No tranquilo convento da Tristeza;
Lá passa dias, noites, sempre presa,
Olhos fechados, magras mãos em cruz...

Lá fora, a Lua, Satanás, seduz!
Desdobra-se em requintes de Beleza...
É como um beijo ardente a Natureza...
A minha cela é como um rio de luz...

Fecha os teus olhos bem! Não vejas nada!
Empalidece mais! E, resignada,
Prende os teus braços a uma cruz maior!

Gela ainda a mortalha que te encerra!
Enche a boca de cinzas e de terra,
Ó minha mocidade toda em flor!

A VIDA

É vão o amor, o ódio, ou o desdém;
Inútil o desejo e o sentimento...
Lançar um grande amor aos pés d'alguém
O mesmo é que lançar flores ao vento!

Todos somos no mundo "Pedro Sem",
Uma alegria é feita dum tormento,
Um riso é sempre o eco dum lamento,
Sabe-se lá um beijo donde vem!

A mais nobre ilusão morre... desfaz-se...
Uma saudade morta em nós renasce
Que no mesmo momento é já perdida...

Amar-te a vida inteira eu não podia.
A gente esquece sempre o bem de um dia.
Que queres, meu Amor, se é isto a vida!...

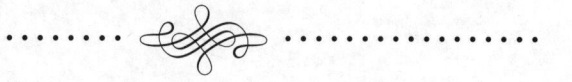

HORAS RUBRAS

Horas profundas, lentas e caladas,
Feitas de beijos sensuais e ardentes,
De noites de volúpia, noites quentes
Onde há risos de virgens desmaiadas...

Oiço as olaias rindo desgrenhadas...
Tombam astros em fogo, astros dementes,
E do luar os beijos languescentes
São pedaços de prata p'las estradas...

Os meus lábios são brancos como lagos...
Os meus braços são leves como afagos.
Vestiu-os o luar de sedas puras...

Sou chama e neve branca e misteriosa...
E sou, talvez, na noite voluptuosa,
Ó meu Poeta, o beijo que procuras!

SUAVIDADE

Pousa a tua cabeça dolorida
Tão cheia de quimeras, de ideal,
Sobre o regaço brando e maternal
Da tua doce Irmã compadecida.

Hás de contar-me nessa voz tão qu'rida
A tua dor que julgas sem igual,
E eu, pra te consolar, direi o mal
Que à minha alma profunda fez a Vida.

E hás de adormecer nos meus joelhos...
E os meus dedos enrugados, velhos,
Hão de fazer-se leves e suaves...

Hão de pousar-se num fervor de crente,
Rosas brancas tombando docemente,
Sobre o teu rosto, como penas de aves...

PRINCESA DESALENTO

Minh'alma é a Princesa Desalento,
Como um Poeta lhe chamou, um dia.
É magoada e pálida e sombria,
Como soluços trágicos do vento!

É frágil como o sonho dum momento;
Soturna como preces de agonia,
Vive do riso duma boca fria:
Minh'alma é a Princesa Desalento...

Altas horas da noite ela vagueia...
E ao luar suavíssimo, que anseia,
Põe-se a falar de tanta coisa morta!

O luar ouve a minh'alma, ajoelhado,
E vai traçar, fantástico e gelado,
A sombra duma cruz à tua porta...

SOMBRA

De olheiras roxas, roxas, quase pretas,
De olhos límpidos, doces, languescentes,
Lagos em calma, pálidos, dormentes,
Onde se debruçassem violetas...

De mãos esguias, finas hastes quietas,
Que o vento não baloiça em noites quentes...
Noturno de Chopin...[3] risos dolentes...
Versos tristes em sonhos de Poetas...

Beijo doce de aromas perturbantes...
Rosal bendito que dá rosas... Dantes
Esta era Eu e Eu era a Idolatrada!...

Oh! tanta cinza morta... o vento a leve!
Vou sendo agora em ti a sombra leve
D'alguém que dobra a curva duma estrada...

---

[3] Referência à composição musical que foi comum no século XIX, especialmente os 21 noturnos de Frédéric Chopin.

HORA QUE PASSA

Vejo-me triste, abandonada e só
Bem como um cão sem dono e que o procura,
Mais pobre e desprezada do que Job
A caminhar na via da amargura!

Judeu Errante que a ninguém faz dó!
Minh'alma triste, dolorida e escura,
Minh'alma sem amor é cinza e pó,
Vaga roubada ao Mar da Desventura!

Que tragédia tão funda no meu peito!...
Quanta ilusão morrendo que esvoaça!
Quanto sonho a nascer e já desfeito!

Deus! Como é triste a hora quando morre...
O instante que foge, voa, e passa...
Fiozinho de água triste... a vida corre...

DA MINHA JANELA

Mar alto! Ondas quebradas e vencidas
Num soluçar aflito e murmurado...
Voo de gaivotas, leve, imaculado,
Como neves nos pincaros nascidas!

Sol! Ave a tombar, asas já feridas,
Batendo ainda num arfar pausado...
Ó meu doce poente torturado
Rezo-te em mim, chorando, mãos erguidas!

Meu verso de Samain cheio de graça,
'Inda não és clarão já és luar
Como branco lilás que se desfaça!

Amor! Teu coração trago-o no peito...
Pulsa dentro de mim como este mar
Num beijo eterno, assim, nunca desfeito!...

SOL POENTE

Tardinha... "Ave-Maria, Mãe de Deus..."
E reza a voz dos sinos e das noras...
O sol que morre tem clarões d'auroras,
Águia que bate as asas pelos céus!

Horas que têm a cor dos olhos teus...
Horas evocadoras d'outras horas...
Lembranças de fantásticos outroras,
De sonhos que não tenho e que eram meus!

Horas em que as saudades p'las estradas
Inclinam as cabeças martirizadas
E ficam pensativas... meditando...

Morrem verbenas silenciosamente...
E o rubro sol da tua boca ardente
Vai-me a pálida boca desfolhando...

EXALTAÇÃO

Viver!... Beber o vento e o sol!... Erguer
Ao Céu os corações a palpitar!
Deus fez os nossos braços pra prender,
E a boca fez-se sangue para beijar!

A chama, sempre rubra, ao alto a arder!...
Asas sempre perdidas a pairar,
Mais alto para as estrelas desprender!...
A glória!... A fama!... O orgulho de criar!...

Da vida tenho o mel e tenho os travos
No lago dos meus olhos de violeta,
Nos meus beijos extáticos, pagãos!...

Trago na boca o coração dos cravos!
Boêmios, vagabundos, e poetas
— Como eu sou vossa Irmã, ó meus Irmãos!...

CHARNECA EM FLOR
1931

Amar, amar, amar siempre y con todo
El ser y con la tierra y con el cielo,
Con lo claro del sol y lo obscuro del lodo.
Amar por toda ciencia y amar por todo anhelo.

Y cuando la montaña de la vida
Nos sea dura y larga, y alta, y llena de abismos,
Amar la inmensidad, que es de amor encendida,
Y arder en la fusión de nuestros pechos mismos...

Rubén Darío

CHARNECA EM FLOR

Enche o meu peito, num encanto mago,
O frêmito das coisas dolorosas...
Sob as urzes queimadas nascem rosas...
Nos meus olhos as lágrimas apago...

Anseio! Asas abertas! O que trago
Em mim? Eu oiço bocas silenciosas
Murmurar-me as palavras misteriosas
Que perturbam meu ser como um afago!

E, nesta febre ansiosa que me invade,
Dispo a minha mortalha, o meu burel,
E já não sou, Amor, Sóror Saudade...

Olhos a arder em êxtases de amor,
Boca a saber a sol, a fruto, a mel:
Sou a charneca rude a abrir em flor!

VERSOS DE ORGULHO

O mundo quer-me mal porque ninguém
Tem asas como eu tenho! Porque Deus
Me fez nascer Princesa entre plebeus
Numa torre de orgulho e de desdém.

Porque o meu Reino fica para além...
Porque trago no olhar os vastos céus
E os oiros e clarões são todos meus!
Porque eu sou Eu e porque Eu sou Alguém!

O mundo? O que é o mundo, ó meu Amor?
— O jardim dos meus versos todo em flor...
A seara dos teus beijos, pão bendito...

Meus êxtases, meus sonhos, meus cansaços...
— São os teus braços dentro dos meus braços,
Via Láctea fechando o Infinito!

RÚSTICA

Ser a moça mais linda do povoado,
Pisar, sempre contente, o mesmo trilho,
Ver descer sobre o ninho aconchegado
A bênção do Senhor em cada filho.

Um vestido de chita bem lavado,
Cheirando a alfazema e a tomilho...
Com o luar matar a sede ao gado,
Dar às pombas o sol num grão de milho...

Ser pura como a água da cisterna,
Ter confiança numa vida eterna
Quando descer à "terra da verdade"...

Meu Deus, dai-me esta alma, esta pobreza!
Dou por elas meu trono de Princesa,
E todos os meus Reinos de Ansiedade.

REALIDADE

Em ti o meu olhar fez-se alvorada
E a minha voz fez-se gorjeio de ninho...
E a minha rubra boca apaixonada
Teve a frescura pálida do linho.

Embriagou-me o teu beijo como um vinho
Fulvo de Espanha, em taça cinzelada,
E a minha cabeleira desatada
Pôs a teus pés a sombra dum caminho.

Minhas pálpebras são cor de verbena,
Eu tenho os olhos garços, sou morena,
E para te encontrar foi que eu nasci...

Tens sido vida fora o meu desejo
E agora, que te falo, que te vejo,
Não sei se te encontrei... se te perdi...

CONTO DE FADAS

Eu trago-te nas mãos o esquecimento
Das horas más que tens vivido, Amor!
E para as tuas chagas o unguento
Com que sarei a minha própria dor.

Os meus gestos são ondas de Sorrento...
Trago no nome as letras duma flor...
Foi dos meus olhos garços que um pintor
Tirou a luz para pintar o vento...

Dou-te o que tenho: o astro que dormita,
O manto dos crepúsculos da tarde,
O sol que é de oiro, a onda que palpita.

Dou-te, comigo, o mundo que Deus fez!
— Eu sou Aquela de quem tens saudade,
A princesa do conto: "Era uma vez..."

A UM MORIBUNDO

Não tenhas medo, não! Tranquilamente,
Como adormece a noite pelo Outono,
Fecha os teus olhos, simples, docemente,
Como, à tarde, uma pomba que tem sono...

A cabeça reclina levemente
E os braços deixa-os ir ao abandono,
Como tombam, arfando, ao sol poente,
As asas de uma pomba que tem sono...

O que há depois? Depois?... O azul dos céus?
Um outro mundo? O eterno nada? Deus?
Um abismo? Um castigo? Uma guarida?

Que importa? Que te importa, ó moribundo?
— Seja o que for, será melhor que o mundo!
Tudo será melhor do que esta vida!...

EU

Até agora eu não me conhecia.
Julgava que era Eu e eu não era
Aquela que em meus versos descrevera
Tão clara como a fonte e como o dia.

Mas que eu não era Eu não o sabia
E, mesmo que o soubesse, o não dissera...
Olhos fitos em rútila quimera
Andava atrás de mim... e não me via!

Andava a procurar-me — pobre louca! —
E achei o meu olhar no teu olhar,
E a minha boca sobre a tua boca!

E esta ânsia de viver, que nada acalma,
É a chama da tua alma a esbrasear
As apagadas cinzas da minha alma!

PASSEIO AO CAMPO

Meu Amor! Meu Amante! Meu Amigo!
Colhe a hora que passa, hora divina,
Bebe-a dentro de mim, bebe-a comigo!
Sinto-me alegre e forte! Sou menina!

Eu tenho, Amor, a cinta esbelta e fina...
Pele doirada de alabastro antigo...
Frágeis mãos de madona florentina...
— Vamos correr e rir por entre o trigo!

Há rendas de gramíneas pelos montes...
Papoilas rubras nos trigais maduros...
Água azulada a cintilar nas fontes...

E à volta, Amor... tornemos, nas alfombras
Dos caminhos selvagens e escuros,
Num astro só as nossas duas sombras...

TARDE NO MAR

A tarde é de oiro rútilo: esbraseia.
O horizonte: um cacto purpurino.
E a vaga esbelta que palpita e ondeia,
Com uma frágil graça de menino,

Pousa o manto de arminho na areia
E lá vai, e lá segue o seu destino!
E o sol, nas casas brancas que incendeia,
Desenha mãos sangrentas de assassino!

Que linda tarde aberta sobre o mar!
Vai deitando do céu molhos de rosas
Que Apolo se entretém a desfolhar...

E, sobre mim, em gestos palpitantes,
As tuas mãos morenas, milagrosas,
São as asas do sol, agonizantes...

SE TU VIESSES VER-ME...

Se tu viesses ver-me hoje à tardinha,
A essa hora dos mágicos cansaços,
Quando a noite de manso se avizinha,
E me prendesses toda nos teus braços...

Quando me lembra: esse sabor que tinha
A tua boca... o eco dos teus passos...
O teu riso de fonte... os teus abraços...
Os teus beijos... a tua mão na minha...

Se tu viesses quando, linda e louca,
Traça as linhas dulcíssimas dum beijo
E é de seda vermelha e canta e ri

E é como um cravo ao sol a minha boca...
Quando os olhos se me cerram de desejo...
E os meus braços se estendem para ti...

MISTÉRIO

Gosto de ti, ó chuva, nos beirados,
Dizendo coisas que ninguém entende!
Da tua cantilena se desprende
Um sonho de magia e de pecados.

Dos teus pálidos dedos delicados
Uma alada canção palpita e ascende,
Frases que a nossa boca não aprende,
Murmúrios por caminhos desolados.

Pelo meu rosto branco, sempre frio,
Fazes passar o lúgubre arrepio
Das sensações estranhas, dolorosas...

Talvez um dia entenda o teu mistério...
Quando, inerte, na paz do cemitério,
O meu corpo matar a fome às rosas!

O MEU CONDÃO

Quis Deus dar-me o condão de ser sensível
Como o diamante à luz que o alumia,
Dar-me uma alma fantástica, impossível:
— Um bailado de cor e fantasia!

Quis Deus fazer de ti a ambrosia
Desta paixão estranha, ardente, incrível!
Erguer em mim o facho inextinguível,
Como um cinzel vincando uma agonia!

Quis Deus fazer-me tua... para nada!
— Vãos, os meus braços de crucificada,
Inúteis, esses beijos que te dei!

Anda! Caminha! Aonde?... Mas por onde?...
Se a um gesto dos teus a sombra esconde
O caminho de estrelas que tracei...

AS MINHAS MÃOS

As minhas mãos magritas, afiladas,
Tão brancas como a água da nascente,
Lembram pálidas rosas entornadas
Dum regaço de Infanta do Oriente.

Mãos de ninfa, de fada, de vidente,
Pobrezinhas em sedas enroladas,
Virgens mortas em luz amortalhadas
Pelas próprias mãos de oiro do sol poente.

Magras e brancas... Foram assim feitas...
Mãos de enjeitada porque tu me enjeitas...
Tão doces que elas são! Tão a meu gosto!

Pra que as quero eu — Deus! — Pra que as quero eu?!
Ó minhas mãos, aonde está o Céu?
... Aonde estão as linhas do teu rosto?

NOITINHA

A noite sobre nós se debruçou...
Minha alma ajoelha, põe as mãos e ora!
O luar, pelas colinas, nesta hora,
É água dum gomil que se entornou...

Não sei quem tanta pérola espalhou!
Murmura alguém pelas quebradas fora...
Flores do campo, humildes, mesmo agora,
A noite os olhos brandos lhes fechou...

Fumo beijando o colmo dos casais...
Serenidade idílica das fontes,
E a voz dos rouxinóis nos salgueirais...

Tranquilidade... calma... anoitecer...
Num êxtase, eu escuto pelos montes
O coração das pedras a bater...

LEMBRANÇA

Fui Essa que nas ruas esmolou
E fui a que habitou Paços Reais;
No mármore de curvas ogivais
Fui Essa que as mãos pálidas pousou...

Tanto poeta em versos me cantou!
Fiei o linho à porta dos casais...
Fui descobrir a Índia e nunca mais
Voltei! fui essa nau que não voltou...

Tenho o perfil moreno, lusitano,
E os olhos verdes, cor do verde Oceano,
Sereia que nasceu de navegantes...

Tudo em cinzentas brumas se dilui...
Ah! quem me dera ser "Essas" que eu fui,
As que me lembro de ter sido... dantes!...

A NOSSA CASA

A nossa casa, Amor, a nossa casa!
Onde está ela, Amor, que não a vejo?
Na minha doida fantasia em brasa
Constrói-a, num instante, o meu desejo!

Onde está ela, Amor, a nossa casa,
O bem que neste mundo mais invejo?
O brando ninho aonde o nosso beijo
Será mais puro e doce que uma asa?

Sonho... que eu e tu, dois pobrezinhos,
Andamos de mãos dadas, nos caminhos
Duma terra de rosas, num jardim,

Num país de ilusão que nunca vi...
E que eu moro — tão bom! — dentro de ti
E tu, ó meu Amor, dentro de mim...

MENDIGA

Na vida nada tenho e nada sou;
Eu ando a mendigar pelas estradas...
No silêncio das noites estreladas
Caminho, sem saber para onde vou!

Tinha o manto do sol... quem m'o roubou?!
Quem pisou minhas rosas desfolhadas?!
Quem foi que sobre as ondas revoltadas
A minha taça de oiro espedaçou?

Agora vou andando e mendigando,
Sem que um olhar dos mundos infinitos
Veja passar o verme, rastejando...

Ah! quem me dera ser como os chacais
Uivando os brados, rouquejando os gritos
Na solidão dos ermos matagais!...

SUPREMO ENLEIO

Quanta mulher no teu passado, quanta!
Tanta sombra em redor! Mas que me importa?
Se delas veio o sonho que conforta,
A sua vinda foi três vezes santa!

Erva do chão que a mão de Deus levanta,
Folhas murchas de rojo à tua porta...
Quando eu for uma pobre coisa morta,
Quanta mulher ainda! Quanta! Quanta!

Mas eu sou a manhã: apago estrelas!
Hás de ver-me, beijar-me em todas elas,
Mesmo na boca da que for mais linda!

E quando a derradeira, enfim, vier,
Nesse corpo vibrante de mulher
Será o meu que hás de encontrar ainda...

TOLEDO

Diluído numa taça de oiro a arder
Toledo é um rubi. E hoje é só nosso!
O sol a rir... Viv'alma... Não esboço
Um gesto que me não sinta esvaecer...

As tuas mãos tateiam-me a tremer...
Meu corpo de âmbar, harmonioso e moço
É como um jasmineiro em alvoroço
Ébrio de sol, de aroma, de prazer!

Cerro um pouco o olhar onde subsiste
Um romântico apelo vago e mudo
— Um grande amor é sempre grave e triste.

Flameja ao longe o esmalte azul do Tejo...[4]
Uma torre ergue ao céu um grito agudo...
Tua boca desfolha-me num beijo...

---

[4] Rio Tejo, o mais extenso da Península Ibérica, banha Lisboa.

OUTONAL

Caem as folhas mortas sobre o lago!
Na penumbra outonal, não sei quem tece
As rendas do silêncio... Olha, anoitece!
— Brumas longínquas do País do Vago...

Veludos a ondear... Mistério mago...
Encantamento... A hora que não esquece,
A luz que a pouco e pouco desfalece,
Que lança em mim a bênção dum afago...

Outono dos crepúsculos doirados,
De púrpuras, damascos e brocados!
— Vestes a Terra inteira de esplendor!

Outono das tardinhas silenciosas,
Das magníficas noites voluptuosas
Em que eu soluço a delirar de amor...

SER POETA

Ser poeta é ser mais alto, é ser maior
Do que os homens! Morder como quem beija!
É ser mendigo e dar como quem seja
Rei do Reino de Aquém e de Além Dor!

É ter de mil desejos o esplendor
E não saber sequer que se deseja!
É ter cá dentro um astro que flameja,
É ter garras e asas de condor!

É ter fome, é ter sede de Infinito!
Por elmo, as manhãs de oiro e de cetim...
É condensar o mundo num só grito!

E é amar-te, assim, perdidamente...
É seres alma e sangue e vida em mim
E dizê-lo cantando a toda a gente!

ALVORECER

A noite empalidece. Alvorecer...
Ouve-se mais o gargalhar da fonte...
Sobre a cidade muda, o horizonte
É uma orquídea estranha a florescer.

Há andorinhas prontas a dizer
A missa d' alva, mal o sol desponte.
Gritos de galos soam monte em monte
Numa intensa alegria de viver.

Passos ao longe... um vulto que se esvai...
Em cada sombra Colombina trai...
Anda o silêncio em volta a querer falar...

E o luar que desmaia, macerado,
Lembra, pálido, tonto, esfarrapado,
Um Pierrot, todo branco, a soluçar...

MOCIDADE

A mocidade esplêndida, vibrante,
Ardente, extraordinária, audaciosa,
Que vê num cardo a folha duma rosa,
Na gota de água o brilho dum diamante;

Essa que fez de mim Judeu Errante
Do espírito, a torrente caudalosa,
Dos vendavais irmã tempestuosa,
— Trago-a em mim vermelha, triunfante!

No meu sangue rubis correm dispersos:
— Chamas subindo ao alto nos meus versos,
Papoilas nos meus lábios a florir!

Ama-me doida, estonteadoramente,
Ó meu Amor! que o coração da gente
É tão pequeno... e a vida, água a fugir...

AMAR!

Eu quero amar, amar perdidamente!
Amar só por amar: Aqui... além...
Mais Este e Aquele, o Outro e toda a gente...
Amar! Amar! E não amar ninguém!

Recordar? Esquecer? Indiferente!...
Prender ou desprender? É mal? É bem?
Quem disser que se pode amar alguém
Durante a vida inteira é porque mente!

Há uma Primavera em cada vida:
É preciso cantá-la assim florida,
Pois se Deus nos deu voz, foi pra cantar!

E se um dia hei de ser pó, cinza e nada
Que seja a minha noite uma alvorada,
Que me saiba perder... pra me encontrar...

NOSTALGIA

Nesse País de lenda, que me encanta,
Ficaram meus brocados, que despi,
E as joias que p'las aias reparti
Como outras rosas de Rainha Santa!

Tanta opala que eu tinha! Tanta, tanta!
Foi por lá que as semeei e que as perdi...
Mostrem-me esse País onde eu nasci!
Mostrem-me o Reino de que eu sou Infanta!

Ó meu País de sonho e de ansiedade,
Não sei se esta quimera que me assombra,
É feita de mentira ou de verdade!

Quero voltar! Não sei por onde vim...
Ah! Não ser mais que a sombra duma sombra
Por entre tanta sombra igual a mim!

AMBICIOSA

Para aqueles fantasmas que passaram,
Vagabundos a quem jurei amar,
Nunca os meus braços lânguidos traçaram
O voo dum gesto para os alcançar...

Se as minhas mãos em garra se cravaram
Sobre um amor em sangue a palpitar...
— Quantas panteras bárbaras mataram
Só pelo raro gosto de matar!

Minha alma é como a pedra funerária
Erguida na montanha solitária
Interrogando a vibração dos céus!

O amor dum homem? — Terra tão pisada,
Gota de chuva ao vento baloiçada...
Um homem? — Quando eu sonho o amor de um Deus!...

CRUCIFICADA

Amiga... noiva... irmã... o que quiseres!
Por ti, todos os céus terão estrelas,
Por teu amor, mendiga, hei de merecê-las
Ao beijar a esmola que me deres.

Podes amar até outras mulheres!
— Hei de compor, sonhar palavras belas,
Lindos versos de dor só para elas,
Para em lânguidas noites lhes dizeres!

Crucificada em mim, sobre os meus braços,
Hei de pousar a boca nos teus passos
Pra não serem pisados por ninguém.

E depois... Ah! Depois de dores tamanhas
Nascerás outra vez de outras entranhas,
Nascerás outra vez de uma outra Mãe!

ESPERA...

Não me digas adeus, ó sombra amiga,
Abranda mais o ritmo dos teus passos;
Sente o perfume da paixão antiga,
Dos nossos bons e cândidos abraços!

Sou a dona dos místicos cansaços,
A fantástica e estranha rapariga
Que um dia ficou presa nos teus braços...
Não vás ainda embora, ó sombra amiga!

Teu amor fez de mim um lago triste:
Quantas ondas a rir que não lhe ouviste,
Quanta canção de ondinas lá no fundo!

Espera... espera... ó minha sombra amada...
Vê que pra além de mim já não há nada
E nunca mais me encontras neste mundo!...

INTERROGAÇÃO

A Guido Battelli

Neste tormento inútil, neste empenho
De tornar em silêncio o que em mim canta,
Sobem-me roucos brados à garganta
Num clamor de loucura que contenho.

Ó alma da charneca sacrossanta,
Irmã da alma rútila que eu tenho,
Dize para onde eu vou, donde é que venho
Nesta dor que me exalta e me alevanta!

Visões de mundos novos, de infinitos,
Cadências de soluços e de gritos,
Fogueira a esbrasear que me consome!

Dize que mão é esta que me arrasta?
Nódoa de sangue que palpita e alastra...
Dize de que é que eu tenho sede e fome?!

VOLÚPIA

No divino impudor da mocidade,
Nesse êxtase pagão que vence a sorte,
Num frêmito vibrante de ansiedade,
Dou-te o meu corpo prometido à morte!

A sombra entre a mentira e a verdade...
A nuvem que arrastou o vento norte...
— Meu corpo! Trago nele um vinho forte:
Meus beijos de volúpia e de maldade!

Trago dálias vermelhas no regaço...
São os dedos do sol quando te abraço,
Cravados no teu peito como lanças!

E do meu corpo os leves arabescos
Vão-te envolvendo em círculos dantescos
Felinamente, em voluptuosas danças...

FILTRO

Meu Amor, não é nada: sons marinhos
Numa concha vazia, choro errante...
Ah, olhos que não choram! Pobrezinhos...
Não há luz neste mundo que os levante!

Eu andarei por ti os maus caminhos
E as minhas mãos, abertas a diamante,
Hão de crucificar-se nos espinhos
Quando o meu peito for o teu mirante!

Para que corpos vis te não desejem,
Hei de dar-te o meu corpo, e a boca minha
Pra que bocas impuras te não beijem!

Como quem roça um lago que sonhou,
Minhas cansadas asas de andorinha
Hão de prender-te todo num só voo...

MAIS ALTO

Mais alto, sim! mais alto, mais além
Do sonho, onde morar a dor da vida,
Até sair de mim! Ser a Perdida,
A que se não encontra! Aquela a quem

O mundo não conhece por Alguém!
Ser orgulho, ser águia na subida,
Até chegar a ser, entontecida,
Aquela que sonhou o meu desdém!

Mais alto, sim! Mais alto! A Intangível
Turris Eburnea[5] erguida nos espaços,
À rutilante luz dum impossível!

Mais alto, sim! Mais alto! Onde couber
O mal da vida dentro dos meus braços,
Dos meus divinos braços de Mulher!

---

[5] *Turris Eburnea* ou "torre de marfim", na tradição judaica/cristã essa expressão é símbolo de pureza. Porém outra denotação sugere que essa "torre de marfim" é o espaço metafísico e idealizado.

NERVOS DE OIRO

Meus nervos, guizos de oiro a tilintar
Cantam-me n' alma a estranha sinfonia
Da volúpia, da mágoa e da alegria,
Que me faz rir e que me faz chorar!

Em meu corpo fremente sem cessar,
Agito os guizos de oiro da folia!
A Quimera, a Loucura, a Fantasia,
Num rubro turbilhão sinto-As passar!

O coração, numa imperial oferta,
Ergo-o ao alto! E, sobre a minha mão,
É uma rosa de púrpura, entreaberta!

E em mim, dentro de mim, vibram dispersos
Meus nervos de oiro, esplêndidos, que são
Toda a Arte suprema dos meus versos!

A VOZ DA TÍLIA

Diz-me a tília a cantar: "Eu sou sincera,
Eu sou isto que vês: o sonho, a graça;
Deu ao meu corpo, o vento, quando passa,
Este ar escultural de bayadera...

E de manhã o sol é uma cratera,
Uma serpente de oiro que me enlaça...
Trago nas mãos as mãos da Primavera...
E é para mim que em noites de desgraça

Toca o vento Mozart,[6] triste e solene,
E à minha alma vibrante, posta a nu,
Diz a chuva sonetos de Verlaine..."[7]

E, ao ver-me triste, a tília murmurou:
"Já fui um dia poeta como tu...
Ainda hás de ser tília como eu sou..."

---

[6] Wolfgang Amadeus Mozart nasceu em Salzburgo, Áustria, em 1756; foi o mais prolífico compositor do período clássico.

[7] Paul Marie Verlaine é um dos mais conhecidos poetas franceses, suas principais obras foram *Poèmes saturniens* (1866) e *Les Poètes maudits* (1884).

NÃO SER

Quem me dera voltar à inocência
Das coisas brutas, sãs, inanimadas,
Despir o vão orgulho, a incoerência:
— Mantos rotos de estátuas mutiladas!

Ah! Arrancar às carnes laceradas
Seu mísero segredo de consciência!
Ah! Poder ser apenas florescência
De astros em puras noites deslumbradas!

Ser nostálgico choupo ao entardecer,
De ramos graves, plácidos, absortos
Na mágica tarefa de viver!

Ser haste, seiva, ramaria inquieta,
Erguer ao sol o coração dos mortos
Na urna de oiro duma flor aberta!...

?

Quem fez ao sapo o leito carmesim
De rosas desfolhadas à noitinha?
E quem vestiu de monja a andorinha,
E perfumou as sombras do jardim?

Quem cinzelou estrelas no jasmim?
Quem deu esses cabelos de rainha
Ao girassol? Quem fez o mar? E a minha
Alma a sangrar? Quem me criou a mim?

Quem fez os homens e deu vida aos lobos?
Santa Teresa em místicos arroubos?
Os monstros? E os profetas? E o luar?

Quem nos deu asas para andar de rastros?
Quem nos deu olhos para ver os astros
— Sem nos dar braços para os alcançar?

IN MEMORIAM

Ao meu morto querido

Na cidade de Assis, "il Poverello"
Santo, três vezes santo, andou pregando
Que o sol, a terra, a flor, o rocio brando,
Da pobreza o tristíssimo flagelo,

Tudo quanto há de vil, quanto há de belo,
Tudo era nosso irmão! — E assim sonhando,
Pelas estradas da Umbria foi forjando
Da cadeia do amor o maior elo!

"Olha o nosso irmão Sol, nossa irmã Água..."
Ah! Poverello! Em mim, essa lição
Perdeu-se como vela em mar de mágoa

Batida por furiosos vendavais!
— Eu fui na vida a irmã de um só Irmão,
E já não sou a irmã de ninguém mais!

ÁRVORES DO ALENTEJO

Ao Prof. Guido Battelli

Horas mortas... Curvada aos pés do Monte
A planície é um brasido... e, torturadas,
As árvores sangrentas, revoltadas,
Gritam a Deus a bênção duma fonte!

E quando, manhã alta, o sol posponte
A oiro a giesta, a arder, pelas estradas,
Esfíngicas, recortam desgrenhadas
Os trágicos perfis no horizonte!

Árvores! Corações, almas que choram,
Almas iguais à minha, almas que imploram
Em vão remédio para tanta mágoa!

Árvores! Não choreis! Olhai e vede:
— Também ando a gritar, morta de sede,
Pedindo a Deus a minha gota de água!

QUEM SABE?...

Ao Ângelo

Queria tanto saber por que sou Eu!
Quem me enjeitou neste caminho escuro?
Queria tanto saber por que seguro
Nas minhas mãos o bem que não é meu!

Quem me dirá se, lá no alto, o céu
Também é para o mau, para o perjuro?
Para onde vai a alma, que morreu?
Queria encontrar Deus! Tanto o procuro!

A estrada de Damasco, o meu caminho,
O meu bordão de estrelas de ceguinho,
Água da fonte de que estou sedenta!

Quem sabe se este anseio de Eternidade,
A tropeçar na sombra, é a Verdade,
É já a mão de Deus que me acalenta?

A MINHA PIEDADE

Ao Bourbon e Meneses

Tenho pena de tudo quanto lida
Neste mundo, de tudo quanto sente,
Daquele a quem mentiram, de quem mente,
Dos que andam pés descalços pela vida;

Da rocha altiva, sobre o monte erguida,
Olhando os céus ignotos frente a frente;
Dos que não são iguais à outra gente,
E dos que se ensanguentam na subida!

Tenho pena de mim... pena de ti...
De não beijar o riso duma estrela...
Pena dessa má hora em que nasci...

De não ter asas para ir ver o céu...
De não ser Esta... a Outra... e mais Aquela...
De ter vivido, e não ter sido Eu...

SOU EU!

A Laura Chaves

Pelos campos em fora, pelos combros,
Pelos montes que embalam a manhã,
Largo os meus rubros sonhos de pagã,
Enquanto as aves pousam nos meus ombros...

Em vão me sepultaram entre escombros
De catedrais de uma escultura vã!
Olha-me o loiro sol tonto de assombros,
E as nuvens, a chorar, chamam-me irmã!

Ecos longínquos de ondas... de universos...
Ecos de um mundo... de um distante Além,
De onde eu trouxe a magia dos meus versos!

Sou eu! Sou eu! A que nas mãos ansiosas
Prendeu da vida, assim como ninguém,
Os maus espinhos sem tocar nas rosas!

PANTEÍSMO

Ao Boto de Carvalho

Tarde de brasa a arder, sol de verão
Cingindo, voluptuoso, o horizonte...
Sinto-me luz e cor, ritmo e clarão
De um verso triunfal de Anacreonte!

Vejo-me asa no ar, erva no chão,
Oiço-me gota de água a rir, na fonte,
E a curva altiva e dura do Marão
É o meu corpo transformado em monte!

E de bruços na terra penso e cismo
Que, neste meu ardente panteísmo,
Nos meus sentidos postos, absortos

Nas coisas luminosas deste mundo,
A minha alma é o túmulo profundo
Onde dormem, sorrindo, os deuses mortos!

MINHA TERRA[8]

A José Emídio Amaro

Ó minha terra na planície rasa,
Branca de sol e cal e de luar,
Minha terra que nunca viste o mar,
Onde tenho o meu pão e a minha casa.

Minha terra de tardes sem uma asa,
Sem um bater de folhas... a dormitar...
Meu anel de rubis a flamejar,
Minha terra mourisca a arder em brasa!

Minha terra onde meu irmão nasceu
Aonde a mãe que eu tive e que morreu
Foi moça e loira, amou e foi amada!

Truz... Truz... Truz... — Eu não tenho onde me acoite,
Sou um pobre de longe, é quase noite,
Terra, quero dormir, dá-me pousada!...

---

[8] Florbela escreveu esse poema em 1929 com o título "Minha Terra", em que poetiza sobre Vila Viçosa; posteriormente esse poema foi republicado com o nome "Pobre de Cristo".

A UMA RAPARIGA

À Nice

Abre os olhos e encara a vida! A sina
Tem que cumprir-se! Alarga os horizontes!
Por sobre lamaçais alteia pontes
Com tuas mãos preciosas de menina.

Nessa estrada da vida que fascina
Caminha sempre em frente, além dos montes!
Morde os frutos a rir! Bebe nas fontes!
Beija aqueles que a sorte te destina!

Trata por tu a mais longínqua estrela,
Escava com as mãos a própria cova
E depois, a sorrir, deita-te nela!

Que as mãos da terra façam, com amor,
Da graça do teu corpo, esguia e nova,
Surgir à luz a haste de uma flor!...

MINHA CULPA

A Artur Ledesma

Sei lá! Sei lá! Eu sei lá bem
Quem sou? Um fogo-fátuo, uma miragem...
Sou um reflexo... um canto de paisagem
Ou apenas cenário! Um vaivém

Como a sorte: hoje aqui, depois além!
Sei lá quem sou? Sei lá! Sou a roupagem
De um doido que partiu numa romagem
E nunca mais voltou! Eu sei lá quem!...

Sou um verme que um dia quis ser astro...
Uma estátua truncada de alabastro...
Uma chaga sangrenta do Senhor...

Sei lá quem sou?! Sei lá! Cumprindo os fados,
Num mundo de maldades e pecados,
Sou mais um mau, sou mais um pecador...

TEUS OLHOS

Olhos do meu Amor! Infantes loiros
Que trazem os meus presos, endoidados!
Neles deixei, um dia, os meus tesouros:
Meus anéis, minhas rendas, meus brocados.

Neles ficaram meus palácios moiros,
Meus carros de combate, destroçados,
Os meus diamantes, todos os meus oiros
Que trouxe d'Além-Mundos ignorados!

Olhos do meu Amor! Fontes... cisternas...
Enigmáticas campas medievais...
Jardins de Espanha... catedrais eternas...

Berço vindo do céu à minha porta...
Ó meu leito de núpcias irreais!...
Meu suntuoso túmulo de morta!...

I

He hum não querer mais que bem querer.

Camões

Gosto de ti apaixonadamente,
De ti que és a vitória, a salvação,
De ti que me trouxeste pela mão
Até ao brilho desta chama quente.

A tua linda voz de água corrente
Ensinou-me a cantar... e essa canção
Foi ritmo nos meus versos de paixão,
Foi graça no meu peito de descrente.

Bordão a amparar minha cegueira,
Da noite negra o mágico farol,
Cravos rubros a arder numa fogueira!

E eu, que era neste mundo uma vencida,
Ergo a cabeça ao alto, encaro o sol!
— Águia real, apontas-me a subida!

II

Meu amor, meu Amado, vê... repara:
Pousa os teus lindos olhos de oiro em mim,
— Dos meus beijos de amor Deus fez-me avara
Para nunca os contares até ao fim.

Meus olhos têm tons de pedra rara
— É só para teu bem que os tenho assim —
E as minhas mãos são fontes de água clara
A cantar sobre a sede dum jardim.

Sou triste como a folha ao abandono
Num parque solitário, pelo Outono,
Sobre um lago onde vogam nenúfares...

Deus fez-me atravessar o teu caminho...
— Que contas dás a Deus indo sozinho,
Passando junto a mim, sem me encontrares? —

III

Frêmito do meu corpo a procurar-te,
Febre das minhas mãos na tua pele
Que cheira a âmbar, a baunilha e a mel,
Doido anseio dos meus braços a abraçar-te,

Olhos buscando os teus por toda a parte,
Sede de beijos, amargor de fel,
Estonteante fome, áspera e cruel,
Que nada existe que a mitigue e a farte!

E vejo-te tão longe! Sinto a tua alma
Junto da minha, uma lagoa calma,
A dizer-me, a cantar que me não amas...

E o meu coração que tu não sentes,
Vai boiando ao acaso das correntes,
Esquife negro sobre um mar de chamas...

IV

És tu! És tu! Sempre vieste, enfim!
Oiço de novo o riso dos teus passos!
És tu que eu vejo a estender-me os braços
Que Deus criou pra me abraçar a mim!

Tudo é divino e santo visto assim...
Foram-se os desalentos, os cansaços...
O mundo não é mundo: é um jardim!
Um céu aberto: longes, os espaços!

Prende-me toda, Amor, prende-me bem!
Que vês tu em redor? Não há ninguém!
A Terra? — Um astro morto que flutua...

Tudo o que é chama a arder, tudo o que sente,
Tudo o que é vida e vibra eternamente
É tu seres meu, Amor, e eu ser tua!

V

Dize-me, Amor, como te sou querida,
Conta-me a glória do teu sonho eleito,
Aninha-me a sorrir junto ao teu peito,
Arranca-me dos pântanos da vida.

Embriagada numa estranha lida,
Trago nas mãos o coração desfeito.
Mostra-me a luz, ensina-me o preceito
Que me salve e levante redimida!

Nesta negra cisterna em que me afundo,
Sem quimeras, sem crenças, sem ternura,
Agonia sem fé dum moribundo,

Grito o teu nome numa sede estranha,
Como se fosse, Amor, toda a frescura
Das cristalinas águas da montanha!

VI

Falo de ti às pedras das estradas,
E ao sol que é loiro como o teu olhar,
Falo ao rio, que desdobra a faiscar,
Vestidos de Princesas e de Fadas;

Falo às gaivotas de asas desdobradas,
Lembrando lenços brancos a acenar,
E aos mastros que apunhalam o luar
Na solidão das noites consteladas;

Digo os anseios, os sonhos, os desejos
De onde a tua alma, tonta de vitória,
Levanta ao céu a torre dos meus beijos!

E os meus gritos de amor, cruzando o espaço,
Sobre os brocados fúlgidos da glória,
São astros que me tombam do regaço!

VII

São mortos os que nunca acreditaram
Que esta vida é somente uma passagem,
Um atalho sombrio, uma paisagem
Onde os nossos sentidos se pousaram.

São mortos os que nunca alevantaram
De entre escombros a Torre de Menagem
Dos seus sonhos de orgulho e de coragem,
E os que não riram e os que não choraram.

Que Deus faça de mim, quando eu morrer,
Quando eu partir para o País da Luz,
A sombra calma de um entardecer,

Tombando, em doces pregas de mortalha,
Sobre o teu corpo heroico, posto em cruz,
Na solidão dum campo de batalha!

VIII

Abrir os olhos, procurar a luz,
De coração erguido ao alto, em chama,
Que tudo neste mundo se reduz
A ver os astros cintilar na lama!

Amar o sol da glória e a voz da fama
Que em clamorosos gritos se traduz!
Com misericórdia, amar quem nos não ama,
E deixar que nos preguem numa cruz!

Sobre um sonho desfeito erguer a torre
Doutro sonho mais alto e, se esse morre
Mais outro e outro ainda, toda a vida!

Que importa que nos vençam desenganos,
Se pudermos contar os nossos anos
Assim como degraus duma subida?

IX

Perdi os meus fantásticos castelos
Como névoa distante que se esfuma...
Quis vencer, quis lutar, quis defendê-los:
Quebrei as minhas lanças uma a uma!

Perdi minhas galeras entre os gelos
Que se afundaram sobre um mar de bruma...
— Tantos escolhos! Quem podia vê-los?
Deitei-me ao mar e não salvei nenhuma!

Perdi a minha taça, o meu anel,
A minha cota de aço, o meu corcel,
Perdi meu elmo de oiro e pedrarias...

Sobem-me aos lábios súplicas estranhas...
Sobre o meu coração pesam montanhas...
Olho assombrada as minhas mãos vazias...

X

Eu queria mais altas as estrelas,
Mais largo o espaço, o sol mais criador,
Mais refulgente a lua, o mar maior,
Mais cavadas as ondas e mais belas;

Mais amplas, mais rasgadas as janelas
Das almas, mais rosais a abrir em flor,
Mais montanhas, mais asas de condor,
Mais sangue sobre a cruz das caravelas!

E abrir os braços e viver a vida:
— Quanto mais funda e lúgubre a descida,
Mais alta é a ladeira que não cansa!

E, acabada a tarefa... em paz, contente,
Um dia adormecer, serenamente,
Como dorme no berço uma criança!

RELIQUIÆ
1931

(VERSOS PÓSTUMOS PUBLICADOS
PELA PRIMEIRA VEZ NA 2ª EDIÇÃO
DE *CHARNECA EM FLOR*, EM 1931)

ÉVORA

*Ao amigo vindo da luminosa
Itália, a minha cidade, como eu
soturna e triste...*

Évora! Ruas ermas sob os céus
Cor de violetas roxas... Ruas frades
Pedindo em triste penitência a Deus
Que nos perdoe as míseras vaidades!

Tenho corrido em vão tantas cidades!
E só aqui recordo os beijos teus,
E só aqui eu sinto que são meus
Os sonhos que sonhei noutras idades!

Évora!... O teu olhar... o teu perfil...
Tua boca sinuosa, um mês de Abril,
Que o coração no peito me alvoroça!

... Em cada viela o vulto dum fantasma...
E a minh'alma soturna escuta e pasma...
E sente-se passar menina e moça...

À JANELA DE GARCIA DE RESENDE

Janela antiga sobre a rua plana...
Ilumina-a o luar com seu clarão...
Dantes, a descansar de luta insana,
Fui, talvez, flor no poético balcão...

Dantes! Da minha glória altiva e ufana,
Talvez... Quem sabe?... Tonto de ilusão,
Meu rude coração de alentejana
Me palpitasse ao luar nesse balcão...

Mística dona, em outras Primaveras,
Em refulgentes horas de outras eras,
Vi passar o cortejo ao sol doirado...

Bandeiras! Pajens! O pendão real!
E na tua mão, vermelha, triunfal,
Minha divisa: um coração chagado!...

O MEU IMPOSSÍVEL

Minh'alma ardente é uma fogueira acesa,
É um brasido enorme a crepitar!
Ânsia de procurar sem encontrar
A chama onde queimar uma incerteza!

Tudo é vago e incompleto! E o que mais pesa
É nada ser perfeito. É deslumbrar
A noite tormentosa até cegar,
E tudo ser em vão! Deus, que tristeza!...

Aos meus irmãos na dor já disse tudo
E não me compreenderam!... Vão e mudo
Foi tudo o que entendi e o que pressinto...

Mas se eu pudesse a mágoa que em mim chora
Contar, não a chorava como agora,
Irmãos, não a sentia como a sinto!...

EM VÃO

Passo triste na vida e triste sou,
Um pobre a quem jamais quiseram bem!
Um caminhante exausto que passou,
Que não diz onde vai nem donde vem.

Ah! Sem piedade, a rir, tanto desdém
A flor da minha boca desdenhou!
Solitário convento onde ninguém
A silenciosa cela procurou!

E eu quero bem a tudo, a toda a gente...
Ando a amar assim, perdidamente,
A acalentar o mundo nos meus braços!

E tem passado, em vão, a mocidade
Sem que no meu caminho uma saudade
Abra em flores a sombra dos meus passos!

VOZ QUE SE CALA

Amo as pedras, os astros e o luar
Que beija as ervas do atalho escuro,
Amo as águas de anil e o doce olhar
Dos animais, divinamente puro.

Amo a hera que entende a voz do muro
E dos sapos, o brando tilintar
De cristais que se afagam devagar,
E da minha charneca o rosto duro.

Amo todos os sonhos que se calam
De corações que sentem e não falam,
Tudo o que é Infinito e pequenino!

Asa que nos protege a todos nós!
Soluço imenso, eterno, que é a voz
Do nosso grande e mísero Destino!...

PARA QUÊ?

Ao velho amigo João

Para que ser o musgo do rochedo
Ou urze atormentada da montanha?
Se a arranca a ansiedade e o medo
E este enleio e esta angústia estranha

E todo este feitiço e este enredo
Do nosso próprio peito? E é tamanha
E tão profunda a gente que o segredo
Da vida como um grande mar nos banha?

Pra que ser asa quando a gente voa,
De que serve ser cântico se entoa
Toda a canção de amor do Universo?

Para que ser altura e ansiedade,
Se se pode gritar uma Verdade
Ao mundo vão nas sílabas dum verso?

SONHO VAGO

Um sonho alado que nasceu um instante,
Erguido ao alto em horas de demência...
Gotas de água que tombam em cadência
Na minh'alma tristíssima, distante...

Onde está ele, o Desejado? O Infante?
O que há de vir e amar-me em doida ardência?
O das horas de mágoa e penitência?
O Príncipe Encantado? O Eleito? O Amante?

E neste sonho eu já nem sei quem sou...
O brando marulhar dum longo beijo
Que não chegou a dar-se e que passou...

Um fogo-fátuo rútilo, talvez...
E eu ando a procurar-te e já te vejo!
E tu já me encontraste e não me vês!...

PRIMAVERA

É Primavera agora, meu Amor!
O campo despe a veste de estamenha;
Não há árvore nenhuma que não tenha
O coração aberto, todo em flor!

Ah! Deixa-te vogar, calmo, ao sabor
Da vida... não há bem que nos não venha
Dum mal que o nosso orgulho em vão desdenha!
Não há bem que não possa ser melhor!

Também despi meu triste burel pardo,
E agora cheiro a rosmaninho e a nardo
E ando agora tonta, à tua espera...

Pus rosas cor-de-rosa em meus cabelos...
Parecem um rosal! Vem desprendê-los!
Meu Amor, meu Amor, é Primavera!...

BLASFÊMIA

Silêncio, meu Amor, não digas nada!
Cai a noite nos longes donde vim...
Toda eu sou alma e amor, sou um jardim,
Um pátio alucinante de Granada!

Dos meus cílios a sombra enluarada,
Quando os teus olhos descem sobre mim,
Traça trêmulas hastes de jasmim
Na palidez da face extasiada!

Sou no teu rosto a luz que o alumia,
Sou a expressão das tuas mãos de raça,
E os beijos que me dás já foram meus!

Em ti sou Glória, Altura e Poesia!
E vejo-me — milagre cheio de graça! —
Dentro de ti, em ti igual a Deus!...

O TEU OLHAR

Passam no teu olhar nobres cortejos,
Frotas, pendões ao vento sobranceiros,
Lindos versos de antigos romanceiros,
Céus do Oriente, em brasa, como beijos.

Mares onde não cabem teus desejos;
Passam no teu olhar mundos inteiros,
Todo um povo de heróis e marinheiros,
Lanças nuas em rútilos lampejos;

Passam lendas e sonhos e milagres!
Passa a Índia, a visão do Infante em Sagres,
Em centelhas de crença e de certeza!

E ao sentir-te tão grande, ao ver-te assim,
Amor, julgo trazer dentro de mim
Um pedaço da terra portuguesa!

NOITE DE CHUVA

Chuva... Que gotas grossas!... Vem ouvir:
Uma... duas... mais outra que desceu...
É Viviana, é Melusina, a rir,
São rosas brancas dum rosal do Céu...

Os lilases deixaram-se dormir...
Nem um frêmito... a terra emudeceu...
Amor! Vem ver estrelas a cair:
Uma... duas... mais outra que desceu...

Fala baixo, juntinho ao meu ouvido,
Que essa fala de amor seja um gemido,
Um murmúrio, um soluço, um ai desfeito...

Ah! deixa à noite o seu encanto triste!
E a mim... o teu amor que mal existe,
Chuva a cair na noite do meu peito!

TARDE DE MÚSICA

Só Schumann, meu Amor! Serenidade...
Não assustes os sonhos... Ah! não varras
As quimeras... Amor, senão esbarras
Na minha vaga imaterialidade...

Liszt, agora o brilhante; o piano arde...
Beijos alados... ecos de fanfarras...
Pétalas dos teus dedos feitos garras...
Como cai em pó de oiro o ar da tarde!

Eu olhava para ti... "é lindo! Ideal!"
Gemeram nossas vozes confundidas.
— Havia rosas cor-de-rosa aos molhos —

Falavas de Liszt e eu... da musical
Harmonia das pálpebras descidas,
Do ritmo dos teus cílios sobre os olhos...

CHOPIN

Não se acende hoje a luz... Todo o luar
Fique lá fora. Bem Aparecidas
As estrelas miudinhas, dando no ar
As voltas dum cordão de margaridas!

Entram falenas meio entontecidas...
Lusco-fusco... um morcego a palpitar
Passa... torna a passar... torna a passar...
As coisas têm o ar de adormecidas...

Mansinho... Roça os dedos p'lo teclado,
No vago arfar que tudo alteia e doira,
Alma, Sacrário de Almas, meu Amado!

E, enquanto o piano a doce queixa exala,
Divina e triste, a grande sombra loira
Vem para mim da escuridão da sala...

O MEU DESEJO

Vejo-te só a ti no azul dos céus,
Olhando a nuvem de oiro que flutua...
Ó minha perfeição que criou Deus
E que num dia lindo me fez sua!

Nos vultos que diviso pela rua,
Que cruzam os seus passos com os meus...
Minha boca tem fome só da tua!
Meus olhos têm sede só dos teus!

Sombra da tua sombra, doce e calma,
Sou a grande quimera da tua alma
E, sem viver, ando a viver contigo...

Deixa-me andar assim no teu caminho
Por toda a vida, Amor, devagarinho,
Até a Morte me levar consigo...

ESCRAVA

Ó meu Deus, ó meu dono, ó meu senhor,
Eu te saúdo, olhar do meu olhar,
Fala da minha boca a palpitar,
Gesto das minhas mãos tontas de amor!

Que te seja propício o astro e a flor,
Que a teus pés se incline a terra e o mar,
P'los séculos dos séculos sem par,
Ó meu Deus, ó meu dono, ó meu senhor!

Eu, doce e humilde escrava, te saúdo,
E, de mãos postas, em sentida prece,
Canto teus olhos de oiro e de veludo.

Ah! esse verso imenso de ansiedade,
Esse verso de amor que te fizesse
Ser eterno por toda a Eternidade!...

DIVINO INSTANTE

Ser uma pobre morta inerte e fria,
Hierática, deitada sob a terra,
Sem saber se no mundo há paz ou guerra,
Sem ver nascer, sem ver morrer o dia,

Luz apagada ao alto e que alumia,
Boca fechada à fala que não erra,
Urna de bronze que a Verdade encerra,
Ah! ser Eu essa morta inerte e fria!

Ah! fixar o efêmero! Esse instante
Em que o teu beijo sôfrego de amante
Queima o meu corpo frágil de âmbar loiro;

Ah! fixar o momento em que, dolente,
Tuas pálpebras descem, lentamente,
Sobre a vertigem dos teus olhos de oiro!

SILÊNCIO!...

No fadário que é meu, neste penar,
Noite alta, noite escura, noite morta,
Sou o vento que geme e quer entrar,
Sou o vento que vai bater-te à porta...

Vivo longe de ti, mas que me importa?
Se eu já não vivo em mim! Ando a vaguear
Em roda à tua casa, a procurar
Beber-te a voz, apaixonada, absorta!

Estou junto de ti e não me vês...
Quantas vezes no livro que tu lês
Meu olhar se pousou e se perdeu!

Trago-te como um filho nos meus braços!
E na tua casa... Escuta!... Uns leves passos...
Silêncio, meu Amor!... Abre! Sou eu!...

O MAIOR BEM

Este querer-te bem sem me quereres,
Este sofrer por ti constantemente,
Andar atrás de ti sem tu me veres
Faria piedade a toda a gente.

Mesmo a beijar-me a tua boca mente...
Quantos sangrentos beijos de mulheres
Pousa na minha a tua boca ardente,
E quanto engano nos seus vãos dizeres!...

Mas que me importa a mim que me não queiras,
Se esta pena, esta dor, estas canseiras,
Este mísero pungir, árduo e profundo

Do teu frio desamor, dos teus desdéns,
É, na vida, o mais alto dos meus bens?
É tudo quanto eu tenho neste mundo?

OS MEUS VERSOS

Rasga esses versos que eu te fiz, Amor!
Deita-os ao nada, ao pó, ao esquecimento,
Que a cinza os cubra, que os arraste o vento,
Que a tempestade os leve aonde for!

Rasga-os na mente, se os souberes de cor,
Que volte ao nada o nada de um momento!
Julguei-me grande pelo sentimento,
E pelo orgulho ainda sou maior!...

Tanto verso já disse o que eu sonhei!
Tantos penaram já o que eu penei!
Asas que passam, todo o mundo as sente...

Rasgas os meus versos... Pobre endoidecida!
Como se um grande amor cá nesta vida
Não fosse o mesmo amor de toda a gente!...

AMOR QUE MORRE

O nosso amor morreu... Quem o diria!
Quem o pensara mesmo ao ver-me tonta,
Ceguinha de te ver, sem ver a conta
Do tempo que passava, que fugia!

Bem estava a sentir que ele morria...
E outro clarão, ao longe, já desponta!
Um engano que morre... e logo aponta
A luz doutra miragem fugidia...

Eu bem sei, meu Amor, que pra viver
São precisos amores, pra morrer,
E são precisos sonhos pra partir.

E bem sei, meu Amor, que era preciso
Fazer do amor que parte o claro riso
De outro amor impossível que há de vir!

SOBRE A NEVE

Sobre mim, teu desdém pesado jaz
Como um manto de neve... Quem dissera
Porque tombou em plena Primavera
Toda essa neve que o Inverno traz!

Coroavas-me inda há pouco de lilás
E de rosas silvestres... quando eu era
Aquela que o Destino prometera
Aos teus rútilos sonhos de rapaz!

Dos beijos que me deste não te importas,
Asas paradas de andorinhas mortas...
Folhas de Outono e correria louca...

Mas inda um dia, em mim, ébrio de cor,
Há de nascer um roseiral em flor
Ao sol de Primavera doutra boca!

EU NÃO SOU DE NINGUÉM...

... ...
... ...
... ...
... ...

Eu não sou de ninguém!... Quem me quiser
Há de ser luz do sol em tardes quentes;
Nos olhos de água clara há de trazer
As fúlgidas pupilas dos videntes!

Há de ser seiva no botão repleto,
Voz no murmúrio do pequeno inseto,
Vento que enfuna as velas sobre os mastros!...

Há de ser Outro e Outro num momento!
Força viva, brutal, em movimento,
Astro arrastando catadupas de astros!

VÃO ORGULHO

Neste mundo vaidoso o amor é nada,
É um orgulho a mais, outra vaidade,
A coroa de loiros desfolhada
Com que se espera a Imortalidade.

Ser Beatriz! Natércia! Irrealidade...
Mentira... Engano de alma desvairada...
Onde está desses braços a verdade,
Essa fogueira em cinzas apagada?...

Mentira! Não te quis... não me quiseste...
Eflúvios sutis dum bem celeste?
Gestos... palavras sem nenhum condão...

Mentira! Não fui tua... não! Somente...
Quis ser mais do que sou, mais do que gente,
No alto orgulho de o ter sido em vão!

ÚLTIMO SONHO DE "SÓROR SAUDADE"

Àquele que se perdera no caminho...

Sóror Saudade abriu a sua cela...
E, num encanto que ninguém traduz,
Despiu o manto negro que era dela,
Seu vestido de noiva de Jesus.

E a noite escura, extasiada, ao vê-la,
As brancas mãos no peito quase em cruz,
Teve um brilhar feérico de estrela
Que se esfolhasse em pétalas de luz!

Sóror Saudade olhou... Que olhar profundo
Que sonha e espera?... Ah! como é feio o mundo,
E os homens vãos! — Então, devagarinho,

Sóror Saudade entrou no seu convento...
E, até morrer, rezou, sem um lamento,
Por Um que se perdera no caminho!...

ESQUECIMENTO

Esse de quem eu era e que era meu,
Que foi um sonho e foi realidade,
Que me vestiu a alma de saudade,
Para sempre de mim desapareceu.

Tudo em redor então escureceu,
E foi longínqua toda a claridade!
Ceguei... tateio sombras... que ansiedade!
Apalpo cinzas porque tudo ardeu!

Descem em mim poentes de Novembro...
A sombra dos meus olhos, a escurecer...
Veste de roxo e negro os crisântemos...

E desse que era meu já me não lembro...
Ah! a doce agonia de esquecer
A lembrar doidamente o que esquecemos!...

LOUCURA

Tudo cai! Tudo tomba! Derrocada
Pavorosa! Não sei onde era dantes.
Meu solar, meus palácios, meus mirantes!
Não sei de nada, Deus, não sei de nada!...

Passa em tropel febril a cavalgada
Das paixões e loucuras triunfantes!
Rasgam-se as sedas, quebram-se os diamantes!
Não tenho nada, Deus, não tenho nada!...

Pesadelos de insônia, ébrios de anseio!
Loucura a esboçar-se, a enegrecer
Cada vez mais as trevas do meu seio!

Ó pavoroso mal de ser sozinha!
Ó pavoroso e atroz mal de trazer
Tantas almas a rir dentro da minha!

DEIXAI ENTRAR A MORTE

Deixai entrar a Morte, a Iluminada,
A que vem pra mim, pra me levar.
Abri todas as portas par em par
Como asas a bater em revoada.

Que sou eu neste mundo? A deserdada,
A que prendeu nas mãos todo o luar,
A vida inteira, o sonho, a terra, o mar,
E que, ao abri-las, não encontrou nada!

Ó Mãe! Ó minha Mãe, pra que nasceste?
Entre agonias e em dores tamanhas
Pra que foi, dize lá, que me trouxeste

Dentro de ti?... Pra que eu tivesse sido
Somente o fruto amargo das entranhas
Dum lírio que em má hora foi nascido!...

À MORTE

Morte, minha Senhora Dona Morte,
Tão bom que deve ser o teu abraço!
Lânguido e doce como um doce laço
E, como uma raiz, sereno e forte.

Não há mal que não sare ou não conforte
Tua mão que nos guia passo a passo,
Em ti, dentro de ti, no teu regaço
Não há triste destino nem má sorte.

Dona Morte dos dedos de veludo,
Fecha-me os olhos que já viram tudo!
Prende-me as asas que voaram tanto!

Vim da Moirama, sou filha de rei,
Má fada me encantou e aqui fiquei
À tua espera... quebra-me o encanto!

POBREZINHA

Nas nossas duas sinas tão contrárias
Um pelo outro somos ignorados:
Sou filha de regiões imaginárias,
Tu pisas mundos firmes já pisados.

Trago no olhar visões extraordinárias
De coisas que abracei de olhos fechados...
Em mira não trago nada, como os párias...
Só tenho os astros, como os deserdados...

E das tuas riquezas e de ti
Nada me deste e eu nada recebi,
Nem o beijo que passa e que consola.

E o meu corpo, minh'alma e coração
Tudo em risos pousei na tua mão!...
... Ah! como é bom um pobre dar esmola!...

ROSEIRA BRAVA

Há nos teus olhos de oiro um tal fulgor
E no teu riso tanta claridade,
Que o lembrar-me de ti é ter saudade
Duma roseira brava toda em flor.

Tuas mãos foram feitas para a dor,
Para os gestos de doçura e piedade;
E os teus beijos de sonho e de ansiedade
São como a alma a arder do próprio Amor!

Nasci envolta em trajes de mendiga;
E, ao dares-me o teu amor de maravilha,
Deste-me o manto de oiro de rainha!

Tua irmã... teu amor... e tua amiga...
E também, toda em flor, a tua filha,
Minha roseira brava que é só minha!...

NAVIOS-FANTASMAS

O arabesco fantástico do fumo
Do meu cigarro traça o que disseste,
A azul, no ar, e o que me escreveste,
E tudo o que sonhaste e eu presumo.

Para a minha alma estática e sem rumo,
A lembrança de tudo o que me deste
Passa como o navio que perdeste,
No arabesco fantástico do fumo...

Lá vão! Lá vão! Sem velas e sem mastros,
Têm o brilho rutilante de astros,
Navios-fantasmas, perdem-se à distância!

Vão-me buscar, sem mastros e sem velas,
Noiva-menina, as doidas caravelas,
Ao ignoto País da minha infância...

O MEU SONETO

Em atitudes e em ritmos fleumáticos
Erguendo as mãos em gestos recolhidos,
Todos brocados fúlgidos, hieráticos,
Em ti andam bailando os meus sentidos...

E os meus olhos serenos, enigmáticos
Meninos que na estrada andam perdidos,
Dolorosos, tristíssimos, extáticos,
São letras de poemas nunca lidos...

As magnólias abertas dos meus dedos
São mistérios, são filtros, são enredos
Que pecados de amor trazem de rastros...

E a minha boca, a rútila manhã,
Na Via Láctea, lírica, pagã,
A rir desfolha as pétalas dos astros!...

NIHIL NOVUM[1]

Na penumbra do pórtico encantado
De Bruges, noutras eras, já vivi;
Vi os templos do Egito com Loti;
Lancei flores, na Índia, ao rio sagrado.

No horizonte de bruma opalizado,
Frente ao Bósforo errei, pensando em ti
O silêncio dos claustros conheci
Pelos poentes de nácar e brocado...

Mordi as rosas brancas de Ispaã
E o gosto a cinza em todas era igual!
Sempre a charneca bárbara e deserta,

Triste, a florir, numa ansiedade vã!
Sempre da vida — o mesmo estranho mal,
E o coração — a mesma chaga aberta!

---
[1] Em latim "Nada novo".

TROCANDO OLHARES
1915-1917

Durante um período importante da sua vida,
Florbela escreveu toda a sua produção
(poemas e contos) num livro de mercearia
a que deu este título. Neste capítulo
são apresentadas todas as poesias que lá
se encontravam, exceto quatro, que ela viria a
retirar para o seu *Livro de Mágoas*,
e trinta e três que ela numerou e separou para
serem publicadas num *Livro D'ele* (o que nunca
aconteceria) — poemas que nesta coleção
são incluídos mais adiante nos respectivos
livros.

DEDICATÓRIA

É só teu o meu livro; guarda-o bem;
Nele floresce o nosso casto amor
Nascido nesse dia em que o destino
Uniu o teu olhar à minha dor!

Florbela Moutinho

AS QUADRAS D'ELE (I)

[1]
Andam sonhos cor do mar
Nas minhas quadras, imersos,
Se queres comigo sonhar,
Canta baixinho os meus versos
[2]
Saudades e amarguras
Tenho eu todos os dias,
Não podem pois adejar
Em meus versos, alegrias.

Saudades e amarguras
Tenho eu todas as horas,
Quem noites só conheceu,
Não pode cantar auroras.
[3]
Se é um pecado sonhar
Tenho um pecado na vida,
Peço a Deus por tal pecado
A penitência merecida.

Quando o meu sonho morrer
(Que penitência tão dura!)
Vai encontrar em teu peito
Carinhosa sepultura.

[4]
Onde estás ó meu amor,
Que te não vejo apar'cer?
Para que quero eu os olhos
Se não servem pra te ver?

Que m'importa a luz suave
Dos olhos que o mundo tem?
Não posso ver os teus olhos
Não quero ver os de ninguém.
[5]
Tens um coração de pedra
Dentro dum peito de lama
Pois nem sabes distinguir
Quem te odeia ou quem te ama.

Por uma que te despreza,
Teu coração endoidece,
E a pobre que te quer bem
Só teus desprezos merece!
[6]
Desde que o meu bem partiu
Parecem outras as cousas;
Até as pedras da rua
Têm aspectos de lousas!

Quando por acaso as piso,
Perturba-me um tal mistério!...
Como se pisasse à noite
As pedras dum cemitério...
[7]

Teus olhos têm uma cor
Duma expressão tão divina,
Tão misteriosa, tão triste,
Como foi a minha sina.

É uma expressão de saudade
Vogando num mar incerto.
Parecem negros de longe,
Parecem azuis de perto.

Mas nem negros nem azuis
São teus olhos, meu amor,
Seriam da cor da mágoa
Se a mágoa tivesse cor!
[8]
Nem o perfume dos cravos,
Nem a cor das violetas,
Nem o brilho das estrelas,
Nem o sonhar dos poetas,

Pode igualar a beleza
Da primorosa flor,
Que abre na tua boca
O teu riso encantador.
[9]
Levanta os olhos do chão,
Olha de frente pra mim
Fingindo tanto desprezo,
Que podes ganhar assim?

Não andes tão distraído,
Contando as pedras da rua,
Não sei pra que finges tanto...
Tu és meu e eu sou tua...

Levanta os olhos do chão,
Que podes ganhar assim?
Se Deus nos fez um pro outro,
Para que foges de mim?!

[10]
Coveiros, sombrios, desgrenhados,
Fazei-me depressa a cova,
Quero enterrar minha dor
Quero enterrar-me assim nova.

Coveiros, só o corpo é novo,
Que há poucos anos nasceu;
Fazei-me depressa a cova
Que a minha alma morreu.
[11]
Amar a quem nos despreza
É sina que a gente tem;
Eu desprezo quem m'odeia,
E adoro quem me quer bem.
[12]
Ai, tirem-me o coração
Que o tenho todo desfeito!
Cada pedaço um punhal
Que trago dentro do peito.

Eu quero viver contigo
Muito juntinhos os dois
O tempo que dura um beijo,
Embora eu morra depois.
[14]
Meu coração é ruína
Caindo todo a pedaços,
Oh, dá-lhe a hera piedosa
Bendita desses teus braços!
[15]
Quando fito o teu olhar
Tão frio e tão indiferente,
Fico a chorar um amor
Que o teu coração não sente.
[16]
O fado não é da terra,
O fado criou-o Deus,
O fado é andar doidinha
Perdida plos olhos teus.
[17]
Esmaguei meu coração
Para o triste te esquecer,
Mas ao sentir os teus passos,
Põe-se a bater... a bater...
[18]
Andam pombas assustadas
No teu olhar, adejando,
Mal sentem os meus olhos,
Batem as asas, voando.
[19]

Há sonhos que ao enterrar-se,
Levam dentro do caixão,
Bocados da nossa alma,
Pedaços de coração!

CANTIGAS LEVA-AS O VENTO...

A lembrança dos teus beijos
Inda na minh'alma existe,
Como um perfume perdido,
Nas folhas dum livro triste.

Perfume tão esquisito
E de tal suavidade,
Que mesmo desapar'cido
Revive numa saudade!

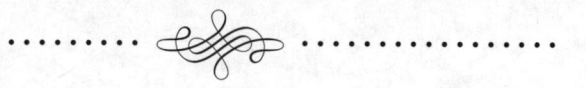

NUM POSTAL

Luar! Lírio branco que se esfolha...
Neve, que do céu, anda perdida,
Asas leves d'anjo, que pairando,
Reza pela terra adormecida...

SONHOS...

Sonhei que era a tua amante querida,
A tua amante feliz e invejada;
Sonhei que tinha uma casita branca
À beira dum regato edificada...

Tu vinhas ver-me, misteriosamente,
A horas mortas quando a terra é monge
Que reza. Eu sentia, doidamente,
Bater o coração quando de longe

Te ouvia os passos. E anelante,
Estava nos teus braços num instante,
Fitando com amor os olhos teus!

E, vê tu, meu encanto, a doce mágoa:
Acordei com os olhos rasos d'água,
Ouvindo a tua voz num longo adeus!

NO MINHO

Casitas brancas do Minho
Onde guardam os tesouros,
As fadas d'olhos azuis
E lindos cabelos loiros.

Filtros de beijos em flor,
Corações de namoradas,
Nas casas brancas do Minho
Guardam ciosas as fadas.

A DOIDA

A Noite passa, noivando,
Caem ondas de luar.
Lá passa a doida cantando
Num suspiro doce e brando
Que mais parece chorar!

Dizem que foi pela morte
D'alguém, que muito lhe quis,
Que endoideceu. Triste sorte!
Que dor tão triste e tão forte!
Como um doido é infeliz!

Desde que ela endoideceu,
(Que triste vida, que mágoa!)
Pobrezinha, olhando o céu,
Chama o noivo que morreu,
Com os olhos rasos d'água!

E a noite passa, noivando.
Passa noivando o luar:
"Num suspiro doce e brando,
Pobre doida vai cantando
Que esse teu canto, é chorar!"

POETAS

Ai as almas dos poetas
Não as entende ninguém;
São almas de violetas
Que são poetas também.

Andam perdidas na vida,
Como as estrelas no ar;
Sentem o vento gemer
Ouvem as rosas chorar!

Só quem embala no peito
Dores amargas e secretas
É que em noites de luar
Pode entender os poetas

E eu que arrasto amarguras
Que nunca arrastou ninguém
Tenho alma pra sentir
A dos poetas também!

DESAFIO

"Ela
Ó luar que lindo és,
Luar branco de Janeiro!
Não há luar como tu,
Nem amor como o primeiro".

Ele
Deixa-me rir, ó Maria!
Qual é pra ti o primeiro?!
Chamas o mesmo ao segundo,
Chamas o mesmo ao terceiro!

Ela
O que Deus disse uma vez
Na minh'alma já é velho;
Vai pedir ao Senhor Cura
Que o leia no Evangelho!
....
Uma voz ouve-se ao longe
Que sobe alto, desgarrada:
"Por muito amar, Madalena,
No céu serás perdoada!"

CRISÂNTEMOS

Sombrios mensageiros das violetas,
De longas e revoltas cabeleiras;
Brancos, sois o casto olhar das virgens
Pálidas que ao luar, sonham nas eiras.

Vermelhos, gargalhadas triunfantes,
Lábios quentes de sonhos e desejos,
Carícias sensuais d'amor e gozo;
Crisântemos de sangue, vós sois beijos!

Os amarelos riem amarguras,
Os roxos dizem prantos e torturas,
Há-os também cor de fogo, sensuais...

Eu amo os crisântemos misteriosos
Por serem lindos, tristes e mimosos,
Por ser a flor de que tu gostas mais!

QUE DIFERENÇA!...

Quando passas a meu lado,
E que olhas para mim,
Tornas-te da cor da rosa,
E eu da cor do jasmim.

Vê tu que expressões dif'rentes
Da nossa mesma ansiedade:
A cor da rosa é despeito,
A palidez é saudade!

OS TEUS OLHOS

O céu azul, não era
Dessa cor, antigamente;
Era branco como um lírio,
Ou como estrela cadente.

Um dia, fez Deus uns olhos
Tão azuis como esses teus,
Que olharam admirados
A taça branca dos céus.

Quando sentiu esse olhar:
"Que doçura, que primor!"
Disse o céu, e ciumento,
Tornou-se da mesma cor!

FOLHAS DE ROSA

Todas as prendas que me deste, um dia,
Guardei-as, meu encanto, quase a medo,
E quando a noite espreita o pôr do sol,
Eu vou falar com elas em segredo...

E falo-lhes d'amores e de ilusões,
Choro e rio com elas, mansamente...
Pouco a pouco o perfume de outrora
Flutua em volta delas, docemente...

Pelo copinho de cristal e prata
Bebo uma saudade estranha e vaga,
Uma saudade imensa e infinita
Que, triste, me deslumbra e m'embriaga.

O espelho de prata cinzelada,
A doce oferta que eu amava tanto,
Que refletia outrora tantos risos,
E agora reflete apenas pranto,

E o colar de pedras preciosas,
De lágrimas e estrelas constelado,
Resumem em seus brilhos o que tenho
De vago e de feliz no meu passado...

Mas de todas as prendas, a mais rara,
Aquela que mais fala à fantasia,
São as folhas daquela rosa branca
Que a meus pés desfolhaste, aquele dia...

DANTES...

Quando ia passear contigo ao campo,
Tu ias sempre a rir e a cantar;
E lembra-me até uma cotovia
Que um dia se calou pra te escutar,

Enquanto eu apanhava os malmequeres
Que nos cumprimentavam da estrada,
Que, depois esfolhavas, impiedoso,
Na eterna pergunta: muito ou nada?

Tu beijavas as f'ridas carminadas
Que, em meus dedos, faziam os espinhos
Das rosas que coravam, vergonhosas,
Zangadas, de nos ver assim sozinhos.

Fitávamos as nuvens do espaço.
Que imensas! Que bonitas e que estranhas!
E ficávamos horas a pensar
Se seriam castelos ou montanhas...

Que adoráveis canções de mimo e graça
Os teus lábios proferiam a cantar!
Tão mimosas, que as relvas da campina
Ficavam pensativas a sonhar...

As fontes murmuravam docemente,
Os teus beijos cantavam namorados,
Cintilavam as pedras do caminho,
Sorriam as flores pelos valados...

À hora sonhadora do poente
Tinham maiores palpitações os ninhos.
Lembra-te? Íamos lavar as mãos,
Vermelhas das amoras dos caminhos.

Eu brincava a correr atrás de ti;
Uma sombra perseguindo um clarão...
E no seio da noite, os nossos passos
Pareciam encher de sol a 'scuridão!

Olhando tanta estrela, tu dizias:
Olha a chuva de prata que nos cobre!
Depois, numa expressão amarga e branda
Recitavas, chorando, António Nobre!...

Eu tinha medo, um medo atroz infindo
De passear pelos campos a tal hora,
Mas, olhando os teus olhos cintilantes,
A noite semelhava uma aurora!

E já passaram esses áureos tempos,
E já fugiu a nossa mocidade!...
Mas quando penso nesses dias lindos,
Que tortura, minh'alma e que saudade!

AS QUADRAS D'ELE (II)

[1]
Digo pra mim quando oiço
O teu lindo riso franco,
"São seus lábios espalhando,
As folhas dum lírio branco..."

[2]
Perguntei às violetas
Se não tinham coração,
Se o tinham, porque escondidas
Na folhagem sempre estão?!

Responderam-me a chorar,
Com voz de quem muito amou:
Sabeis que dor os desfez,
Ou que traição os gelou?

[3]
Meu coração, inundado
Pela luz do teu olhar,
Dorme quieto como um lírio,
Banhado pelo luar.

[4]
Quando o olvido vier
Teu amor amortalhar,
Quero a minha triste vida,
Na mesma cova, enterrar.

[5]
Eu sei que me tens amor,
Bem o leio no teu olhar,
O amor quando é sentido
Não se pode disfarçar.

Os olhos são indiscretos,
Revelam tudo que sentem,
Podem mentir os teus lábios,
Os olhos, esses, não mentem.

[6]
Bendita seja a desgraça,
Bendita a fatalidade,
Benditos sejam teus olhos
Onde anda a minha saudade

Não há amor neste mundo
Como o que eu sinto por ti,
Que me ofertou a desgraça
No momento em que te vi.

[7]
O teu grande amor por mim,
Durou, no teu coração,
O espaço duma manhã,
Como a rosa da canção.

[8]
Quando falas, dizem todos:
Tem uma voz que é um encanto
Só falando, faz perder
Todo juízo a um santo.

[9]
Enquanto eu longe de ti
Ando perdida de zelos,
Afogam-se outros olhares
Nas ondas dos teus cabelos.

[10]
Dizem-me que te não queira
Que tens, nos olhos, traição.
Ai, ensinem-me a maneira
De dar leis ao coração!

[11]
Tanto ódio e tanto amor
Na minha alma contenho;
Mas o ódio inda é maior
Que o doido amor que te tenho.

Odeio teu doce sorriso,
Odeio o teu lindo olhar,
E ainda mais a minh'alma
Por tanto e tanto te amar!

[12]
Quando o teu olhar infindo
Poisa no meu, quase a medo,
Temo que alguém adivinhe
O nosso casto segredo.

Logo minh'alma descansa;
Por saber que nunca alguém
Pode imaginar o fogo
Que o teu frio olhar contém.

[13]
Quem na vida tem amores
Não pode viver contente,
É sempre triste o olhar
Daquele que muito sente.

[14]
Adivinhar o mistério
Da tua alma quem me dera!
Tens nos olhos o Outono,
Nos lábios a Primavera...

Enquanto teus lábios cantam
Canções feitas de luar,
Soluça cheio de mágoa
O teu misterioso olhar...

Com tanta contradição,
O que é que a tua alma sente?
És alegre como a aurora,
E triste como um poente...

Desabafa no meu peito
Essa amargura tão louca,
Que é tortura nos teus olhos
E riso na tua boca!

[15]
Os teus dentes pequeninos
Na tua boca mimosa,
São pedacitos de neve
Dentro dum cálix de rosa.

[16]
O lindo azul do céu
E a amargura infinita
Casaram. Deles nasceu
A tua boca bendita!

O FADO

Corre a noite, de manso num murmúrio,
Abre a rosa bendita do luar...
Soluçam ais estranhos de guitarra...
Oiço, ao longe, não sei que voz chorar...

Há um repoiso imenso em toda a terra,
Parece a própria noite a escutar...
E o canto vai subindo e vai morrendo
Num anseio de saudade a palpitar!...

É o fado. A canção das violetas:
Almas de tristes, almas de poetas,
Pra quem a vida foi uma agonia!

Minha doce canção dos deserdados,
Meu fado que alivias desgraçados,
Bendito sejas tu! Ave Maria!...

VERDADES CRUÉIS

Acreditar em mulheres
É coisa que ninguém faz;
Tudo quanto amor constrói
A inconstância desfaz.

Hoje amam, amanhã 'squecem,
Ora dores, ora alegrias;
E o seu *eternamente*
Dura sempre uns oito dias!...

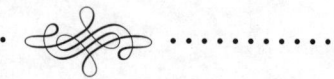

[SEM TÍTULO]

Li um dia, não sei onde,
Que em todos os namorados
Uns amam muito, e os outros
Contentam-se em ser amados.

Fico a cismar pensativa
Neste mistério encantado...
Digo pra mim: de nós dois
Quem ama e quem é amado?...

AS QUADRAS D'ELE (III)

[1]
Há em tudo quanto fitas
Pureza igual à dos céus,
Até são belos meus olhos
Porque lá poisam os teus!

[2]
Que filtro embriagante
Me deste tu a beber?
Até me esqueço de mim
E não te posso esquecer!...

[3]
Está tudo quanto olho
Na 'scuridão mais intensa,
Faltou de teus olhos lindos
A luz profunda e imensa...

[4]
Viver sozinha no mundo
É a minha triste sorte.
Ai quem me dera trocá-la
Embora fosse pla morte!

[5]
Teus lábios cor das papoilas,
Vermelhos como o carmim,
Não são lábios nem papoilas
São pedaços de cetim.

[6]
Quando um peito amargurado
Adora seja quem for,
Por muito infame que seja
Bendito seja esse amor!

[7]
Tenho por ti uma paixão
Tão forte e acrisolada,
Que até adoro a saudade
Quando por ti é causada.

[8]
Às vezes quando anoitece
Cai em meu peito tal mágoa!...
Quero cantar. E num instante
Sinto os olhos rasos d'água!

[9]
Quando me não quiseres mais
Mata-me por piedade!
Deixares-me a vida, sem ti
É bem maior crueldade!

[10]
Queria ser a erva humilde
Que pisasses algum dia,
Pra debaixo de teus pés
Morrer em doce agonia.

[11]
Há beijos na tua boca
Pode colhê-los quem quer.
Só eu não posso. Vê tu
Que desgraçada mulher!

[12]
Quem me dera um coração
Que por mim bata somente...
Dai-me essa esmola, Senhor,
Para que eu morra contente!

[13]
Há no fado das vielas
Notas tão sentimentais,
Tão delicadas, tão belas,
Que não s'esquecem jamais!

[14]
Andam teus olhos de luto;
Sempre eles de negro andaram,
Pelas feridas que fizeram,
Pelas mortes que causaram.

[15]
Olhos negros, noite infinda
Sede meu norte, meu guia,
Ó noite escura e bendita
Sê o meu sol, o meu dia!

[16]
Gosto imenso dumas flores
Muito escuras, quase pretas,
Modestas, lindas graciosas
Que se chamam violetas.

Por isso quando eu morrer,
Em prova do teu amor
Inunda de violetas
O caixão aonde eu for.

[17]
Não sei que têm meus versos;
Alegres quero fazê-los
Mas ficam-me sempre tristes
Como a cor dos teus cabelos.

CEMITÉRIOS

Cemitério da minha terra,
Paredes a branquejar;
Que bom será lá dormir
Um bom sonho sem sonhar!...

De manhã, muito cedinho
Dormir de leve, embalada
Plas canções das raparigas
Que gentis passam na 'strada...

Cantem mais devagarinho,
Mais baixinho, camponesas,
Que os vossos cantos pareçam
Tristes preces, doces rezas...

À noitinha, ao sol posto
Ouvindo as Ave-Marias!
Meu Deus, que suavidade!
Que paz de todos os dias!

Os murmúrios dos ciprestes
São doces canções aladas
Serenatas de paixão
Às almas enamoradas!

O luar imaculado
Em noites puras, serenas,
É um rio, que vai fazendo
Florir as açucenas...

Canta triste o rouxinol
Beijam-se lindos uns goivos,
E no fundo duma campa
Dormem felizes uns noivos...

Dum túmulo a outro se fala:
"Por que morreste tão nova?
Por que tão cedo vieste
Dormir numa fria cova?"

"Eu era infeliz na terra,
Ninguém me compreendia,
Quando a minh'alma chorava
Todos pensavam que eu ria..."

"E tu tão triste e tão linda,
Com olhos de quem chorou?"
"Eu tive um amor na vida
Que por outra me deixou!"

"E tu?" "Sozinha no mundo
Nunca tive o que outros têm:
Pai, mãe ou um namorado...
Morri por não ter ninguém!..."

Uma diz: "Chorava um filho
Que é uma dor sem piedade",
Outra diz num vago enleio:
"Eu cá, morri de saudade!"

De todas as campas sai
Um choro que é um mistério
É então que os vivos sentem
As vozes do cemitério...

... Vão-se calando os soluços...
E as pobres mortas de dor
Vão dormindo, acalentando
Uns sonhos brancos d'amor...

Invejo estes doces sonhos
Neste terreno funéreo.
Ai quem me dera dormir
No meu lindo cemitério!

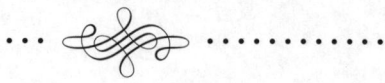

A MULHER

I

Um ente de paixão e sacrifício,
De sofrimentos cheio, eis a mulher!
Esmaga o coração dentro do peito,
E nem te doas coração, sequer!

Sê forte, corajoso, não fraquejes
Na luta; sê em Vênus sempre Marte;
Sempre o mundo é vil e infame e os homens
Se te sentem gemer hão de pisar-te!

Se às vezes tu fraquejas, pobrezinho,
Essa brancura ideal de puro arminho
Eles deixam pra sempre maculada;

E gritam então os vis: "olhem, vejam
É aquela a infame!" e apedrejam
A pobrezita, a triste, a desgraçada!

A MULHER

II

Ó Mulher! Como és fraca e como és forte!
Como sabes ser doce e desgraçada!
Como sabes fingir quando em teu peito
A tua alma se estorce amargurada!

Quantas morrem saudosas duma imagem
Adorada que amaram doidamente!
Quantas e quantas almas endoidecem
Enquanto a boca ri alegremente!

Quanta paixão e amor às vezes têm
Sem nunca o confessarem a ninguém
Doces almas de dor e sofrimento!

Paixão que faria a felicidade
Dum rei; amor de sonho e de saudade,
Que se esvai e que foge num lamento!

NO HOSPITAL

À Théa

Na vasta enfermaria ela repoisa
Tão branca como a orla do lençol.
Gorjeia a sua voz ternos queixumes,
Como no bosque à noite o rouxinol.

É delicada e triste. O seu corpito
Tem o perfume casto da verbena.
Não são mais brancas as magnólias brancas
Que a sua boca tão branca e tão pequena!

Oiço dizer: Seu rosto faz sonhar!
Serão pétalas de rosa ou de luar?
Talvez a neve que chorou o Inverno...

Mas vendo-a assim tão branca, penso eu:
É um astro cansado, que do céu
Veio repoisar nas trevas dum inferno!

AS QUADRAS D'ELE (IV)

[1]
Sou mais infeliz que os pobres
Que têm fome na rua.
Também eu ando faminta
De beijos da boca tua.

[2]
A saudade é tão cruel,
É uma tão profunda dor,
Que em troca eu quisera o fel
Que bebeu Nosso Senhor!

[3]
A tristeza mais amarga,
A mais negra, a mais tristonha,
Dantes, morava em teus olhos
De luz bendita e risonha.

Dava-se mal a tristeza
Com essa luz d'alegria,
Mudou-se então pros meus olhos
Que choram de noite e dia.

[4]
Há uma palavra na terra
Que tem encantos do céu;
Não é amor, nem esperança,
Nem sequer o nome teu.

Essa palavra tão doce,
De tanta suavidade,
Que me faz chorar de dor
Quando a murmuro: é saudade!

[5]
Amor, é comunhão d'almas
No mesmo sagrado altar;
Contigo, amor da minh'alma,
Quem me dera comungar!

[6]
Não julgues tu que m'importo
Quando passas sem me olhar;
Lembra-me logo do ditado:
"Quem desdenha, quer comprar!"

[7]
Parte a minh'alma em pedaços
E atira-os pelo mundo fora;
Pequenas almas que sentem,
Como a grande sente agora!

Chega para encher o mundo
O céu, a terra, os espaços,
Estas almas pequeninas,
Estes pequenos pedaços!

Mesmo assim sendo tão grande
Esta alma, ó sonhos meus!
É pequena pra conter
O fulgor dos olhos teus!

TROCANDO OLHARES

[8]
Abaixo sempre os meus olhos
Quando encontro o teu olhar;
De ver o sol de frente
Ninguém se pode gabar!

SÚPLICA

Digo pra mim
Quando ele passa:
Ave-Maria
Cheia de graça!

E quando ainda
Mal posso vê-lo:
Bendito Deus
Como ele é belo!

Embalada num sonho aurifulgente
Sei apenas que sonho vagamente,
Ao avistar, amor, teus olhos belos,

Em castelãs altivas, medievais,
Que choram às janelas ogivais,
Perdidas em românticos castelos!

O MEU ALENTEJO

Meio-dia. O sol a prumo cai ardente,
Doirando tudo... Ondeiam nos trigais
D'oiro fulvo, de leve... docemente...
As papoulas sangrentas, sensuais...

Andam asas nos ar; e raparigas,
Flores desabrochadas em canteiros,
Mostram, por entre o ouro das espigas,
Os perfis delicados e trigueiros...

Tudo é tranquilo, e casto, e sonhador...
Olhando esta paisagem que é uma tela
De Deus, eu penso então: Onde há pintor,

Onde há artista de saber profundo,
Que possa imaginar coisa mais bela,
Mais delicada e linda neste mundo?!

A VOZ DE DEUS

Ó rosas que baixais as castas frontes
Quando, à tarde, vos beija o sol poente,
Dizei-me que murmúrios vos segreda
O sol que vos beija docemente?...

Ó Luar cristalino e abençoado
Por que entristeces tu em noites belas
Quando chora baixinho o rouxinol
Um choro só ouvido p'las estrelas?...

Mistério das coisas! Em tudo existe
Um coração que sente e que palpita
Desde o sol rubro até à urze triste!

Ó mistério das coisas! Voz de Deus
Em tudo eternamente sê bendita
Na terra imensa assim como nos céus!

PAISAGEM

Uns bezerritos bebem lentamente
Na tranquila levada do moinho.
Perpassa nos seus olhos, vagamente,
A sombra duma alma cor do linho!

Junto deles um par. Naturalmente
Namorados ou noivos. De mansinho
Soltam frases d'amor... e docemente
Uma criança canta no caminho!

Um trecho de paisagem campesina,
Uma tela suave, pequenina,
Um pedaço de terra sem igual!

Oh, abre-me em teu seio a sepultura,
Minha terra d'amor e de ventura,
Ó meu amado e lindo Portugal!

FILHOS

À Exma. Sra. D. Glória Lomba

Filhos são as nossas almas
Desabrochadas em flores;
Filhos, estrelas caídas
No mundo das nossas dores!

Filhos, aves que chilreiam
No ninho do nosso amor,
Mensageiros da felicidade
Mandados pelo Senhor!

Filhos, sonhos adorados,
Beijos que nascem de risos;
Sol que aquenta e dá luz
E se desfaz em sorrisos!

Em todo o peito bendito
Criado pelo bom Deus,
Há uma alma de mãe
Que sofre p'los filhos seus!

Filhos! Na su'alma casta,
A nossa alma revive...
Eu sofro pelas saudades
Dos filhos que nunca tive!...

ÀS MÃES DE PORTUGAL

Ó mães doloridas, celestiais,
Misericordiosas,
Ó mães d'olhos benditos, liriais,
Ó mães piedosas

Calai as vossas mágoas, vossas dores!
Longe na crua guerra
Vossos filhos defendem, vencedores,
A nossa linda terra!

E se eles defendem a bandeira
Da terra que adorais,
Onde viram um dia a luz primeira
Ó mães, por que chorais?!

Uma lágrima triste, agora é
Cobardia, fraqueza!
Nos campos de batalha cai de pé
A alma portuguesa!

Pela terra de estrelas e tomilhos,
De sol, e de luar,
Deixai ir combater os vossos filhos
Ao longe, heróis do mar!

Dum português bendito, sem igual
Eu sigo o mesmo trilho:
Por cada pedra deste Portugal
Eu arriscava um filho!

Por isso ó mães doridas, pelo leito
De morte, onde ajoelhais,
Esmagai vossa dor dentro do peito,
Ó mães não choreis mais!

A pátria rouba os filhos, mas é mãe
A mãe de todos nós
Direito de a trair não tem ninguém
Ó mães nem sequer vós!

SÚPLICA

Olha pra mim, amor, olha pra mim;
Meus olhos andam doidos por te olhar!
Cega-me com o brilho de teus olhos
Que cega ando eu há muito por te amar.

O meu colo é arminho imaculado
Duma brancura casta que entontece;
Tua linda cabeça loira e bela
Deita em meu colo, deita e adormece!

Tenho um manto real de negras trevas
Feito de fios brilhantes d'astros belos
Pisa o manto real de negras trevas
Faz alcatifa, oh faz, de meus cabelos!

Os meus braços são brancos como o linho
Quando os cerro de leve, docemente...
Oh! Deixa-me prender-te e enlear-te
Nessa cadeia assim eternamente!...

Vem para mim, amor... Ai não desprezes
A minha adoração de escrava louca!
Só te peço que deixes exalar
Meu último suspiro na tua boca!...

NOITES DA MINHA TERRA

Anda o luar espalhando fios de prata
Pelos campos fora... Lírios a flux
Lança o azul do céu... e a terra grata
Transforma em mil perfumes toda a luz!

As estrelas cadentes vão 'spalhando
Lírios brancos também... agora a terra
Parece noiva linda, que sonhando
Caminha pro altar, além na serra...

É meia-noite agora. Tudo quieto
Na noite branda, dorme... Entreaberto
Vai esfolhando o lírio do luar

As alvas folhas, que cobrindo o céu,
E todo o mar e toda a terra, um véu
Branco, de noiva, lembra a palpitar!...

VOZES DO MAR

Quando o sol vai caindo sobre as águas
Num nervoso delíquio d'oiro intenso,
Donde vem essa voz cheia de mágoas
Com que falas à terra, ó mar imenso?

Tu falas de festins, e cavalgadas
De cavaleiros errantes ao luar?
Falas de caravelas encantadas
Que dormem em teu seio a soluçar?

Tens cantos d'epopeias? Tens anseios
D'amarguras? Tu tens também receios,
Ó mar cheio de esperança e majestade?!

Donde vem essa voz, ó mar amigo?...
... Talvez a voz do Portugal antigo,
Chamando por Camões numa saudade!

CRAVOS VERMELHOS

Bocas rubras de chama a palpitar
Onde fostes buscar a cor, o tom,
Esse perfume doido a esvoaçar
Esse perfume capitoso e bom?!

Sois volúpias em flor! Ó gargalhadas
Doidas de luz, ó almas feitas risos!
Donde vem essa cor, ó desvairadas,
Lindas flores d'esculturais sorrisos?!

... Bem sei vosso segredo... Um rouxinol
Que vos viu nascer, ó flores do mal,
Disse-me agora: "Uma manhã, o sol

O sol vermelho e quente como estriga
De fogo, o sol do céu de Portugal
Beijou a boca a uma rapariga..."

SAUDADE

És a filha dileta da noss'alma
Da noss'alma de sonho e de tristeza,
Andas de roxo sempre, sempre calma
Doce filha da gente portuguesa!

Em toda a terra do meu Portugal
Te sinto e vejo, toda a suavidade
Como nas folhas tristes dum missal
Se sente Deus! E tu és Deus, saudade!...

Andas nos olhos negros, magoados
Das frescas raparigas. Namorados
Conhecem-te também, meu doce ralo!

Também te trago n'alma dentro de mim,
E trazendo-te sempre, sempre assim,
É bem a pátria qu'rida que eu embalo!

VISÕES DA FEBRE

Doente. Sinto-me com febre e com delírio
Enche-se o quarto de fantasmas. 'Ma visão
Desenha-se ante mim tão branca como um lírio
Debruça-se de leve... Estranha aparição!

É uma mulher de sonho e de suavidade
Como a doce magnólia florindo ao sol poente
E disse-me baixinho: "Eu chamo-me Saudade
E venho pra levar-te o coração doente!

Não sofrerás mais; serás fria como o gelo;
Neste mundo de infâmia o que é que importa sê-lo
Nunca tu chorarás por tudo mais que vejas!"

E abriu-me o meu seio; tirou-me o coração,
Despedaçado já sem 'ma palpitação,
Beijou-me e disse "adeus!" E eu: "bendita sejas!"

ORAÇÃO

Ó Deus, senhor da terra, omnipotente,
Senhor do vasto mar! Senhor do céu!
Atendei esta prece humilde e crente,
Ouvi-me por piedade, Senhor meu!

Olhai por todos que amam sua terra,
Guiai aqueles que amam Portugal
Protegei os que andam pela guerra
A defender o seu torrão natal!

Lançai o vosso olhar de piedade
Por todos os que arrastam 'ma saudade
Pela pátria distante, muito além!...

Consolai, ó meu Deus, os orfãozinhos,
As mães, as noivas e os que têm ninhos
Despedaçados pela guerra. Amém.

À GUERRA!

Fala o canhão. Estala o riso da metralha.
Os clarins muito ao longe tocam a reunir.
O Deus da guerra ri nos campos de batalha
E tu, ó pátria minha, ergues-te a sorrir!

Vestes alva cota bordada a rosicleres
Desfraldas a bandeira rubra dos combates,
Levas no heroico seio a alma das mulheres
E ergue-se contigo a alma de teus vates!

Levanta-se do túmulo a voz dos teus heróis,
Cintila em tua fronte o brilho desses sóis,
Até o próprio mar t'incita a combater!

Nun'Álvares arranca a espada de glória,
E diz-te em voz serena: "Em busca da vitória
Meu belo Portugal, combate até morrer!"

MEU PORTUGAL

Meu Portugal querido, minha terra
De risos e quimeras e canções
Tens dentro em ti, esse teu peito encerra
Tudo que faz bater os corações!

Tens o fado. A canção triste e bendita
Que todos cantam pela vida fora;
O fado que dá vida e que palpita
Na alma da guitarra aonde mora!

Tu tens também a embriaguez suave
Dos campos, da paisagem ao sol poente,
E esse sol é como um canto d'ave
Que expira à beira-mar, suavemente...

Tu tens, ó pátria minha, as raparigas
Mais frescas, mais gentis do orbe imenso,
Tens os beijos, os risos, as cantigas
De seus lábios de sangue!... Às vezes penso

Que tu és, pátria minha, branca fada
Boa e linda que Deus sonhou um dia,
Para lançar no mundo, ó pátria amada
A beleza eterna, a arte, a poesia!...

ANSEIOS

À minha Júlia

Meu doido coração aonde vais,
No teu imenso anseio de liberdade?
Toma cautela com a realidade;
Meu pobre coração olha que cais!

Deixa-te estar quietinho! Não amais
A doce quietação da soledade?
Tuas lindas quimeras irreais,
Não valem o prazer duma saudade!

Tu chamas ao meu seio, negra prisão!...
Ai, vê lá bem, ó doido coração,
Não te deslumbre o brilho do luar!

Não 'stendas tuas asas para o longe...
Deixa-te estar quietinho, triste monge,
Na paz da tua cela, a soluçar!...

O ESPECTRO

Anda um triste fantasma atrás de mim
Segue-me os passos sempre! Aonde eu for,
Lá vai comigo... E é sempre, sempre assim
Como um fiel cão seguindo o seu Senhor!

Tem o verde dos sonhos transcendentes,
A ternura bem roxa das verbenas,
A ironia purpúrea dos poentes,
E tem também a cor das minhas penas!

Ri sempre quando eu choro, e se me deito,
Lá vai ele deitar-se ao pé do leito,
Embora eu lhe suplique: "Faz-me a graça

De me deixares nessa hora ser feliz!
Deixa-me em paz!..." Mas ele, sempre diz:
"Não te posso deixar, sou a Desgraça!"

PODER DA GRAÇA

Altiva e perfumada em cetinoso trem
Passeia uma mundana à luz da tarde quente,
O seu olhar gelado onde se lê desdém
Passeia pela rua, altivo e insolente.

Para ninguém abaixa o orgulhoso olhar;
Passa o luxo da alta em luminoso traço;
Parece não ouvir da rua o murmurar,
Que o seu olhar altivo é sempre triste e baço.

Nem o rir da criança ou o sorrir da luz
Dão vida àquela sombra altiva que seduz
A multidão absorta em roda, a murmurar...

Uma mendiga passa. É 'ma beleza ideal!
Nasceu do seu olhar o céu de Portugal!
....
Abaixa então a rica o luminoso olhar!

NUNCA MAIS!

Ó castos sonhos meus! Ó mágicas visões!
Quimeras cor de sol de fúlgidos lampejos!
Dolentes devaneios! Cetíneas ilusões!
Bocas que foram minhas florescendo beijos!

Vinde beijar-me à fronte ao menos um instante,
Que eu sinta esse calor, esse perfume terno;
Vais a chorar à porta onde outrora o Dante
Deixou toda a esp'rança ao penetrar o inferno!

Vinde sorrir-me ainda! Hei de morrer contente
Cantando uma canção alegremente, doidamente,
À luz desse sorriso, ó fugitivos ais!

Vinde beijar-me a boca ungir-me de saudade
Ó sonhos cor de sol da minha mocidade!
Cala-te lá destino!...
"Ó Nunca, nunca mais!..."

TRISTE DESTINO!

Quando às vezes o mar soluça tristemente
A praia abre-lhe os braços e deixa-o a gemer;
Embala-o com amor, de leve, docemente,
E canta-lhe cantigas p'ra adormecer!

Quando o Outono leva a folha rendilhada,
O vestido real da branda Primavera,
O rio abre-lhe os braços e leva amortalhada,
A pequenina folha, essa ideal quimera!

O sol, agonizante e quase moribundo,
Estende os braços nus, alegre, para o mundo
Que o faz amortalhar em púrpura de lenda!

O sol, a folha, o mar tudo é feliz! Mas eu
Busco a mortalha minha até no alto céu!
E nem a cruz p'ra mim tem braços que m'estenda!

A ANTO!

Poeta da saudade, ó meu poeta qu'rido
Que a morte arrebatou com seu sorrir fatal,
Ao escrever o "Só" pensaste enternecido
Que era o mais triste livro deste Portugal.

Pensaste nos que liam esse teu Missal,
Tua Bíblia de dor, o teu chorar sentido,
Temeste que esse altar pudesse fazer mal
Aos que comungam nele a soluçar contigo!

Ó Anto! Eu adoro os teus estranhos versos
Soluços que eu uni e que senti dispersos
Por todo o livro triste! Achei teu coração...

Amo-te como te não quis nunca ninguém
Como se eu fosse ó Anto a tua própria mãe
Beijando-te já frio no fundo do caixão!

DUAS QUADRAS

Não sei se tens reparado
Quando passeia, o luar
Para sempre à tua porta
E encosta-se a chorar;

E eu que passo também
Na minha mágoa a cismar
Paro junto dele, e ficamos
Abraçados a chorar!

BALADA

Amei-te muito, e eu creio que me quiseste
Também por um instante, nesse dia
Em que tão docemente me disseste
Que amavas 'ma mulher que o não sabia.

Amei-te muito, muito! Tão risonho
Aquele dia foi, aquela tarde!...
E morreu como morre todo o sonho
Deixando atrás de si só a saudade...

E na taça do amor, a ambrosia
Da quimera bebi naquele dia
A tragos bons, profundos, a cantar...

Pra que morreste, ó sonho?! Que desgraçada!...
....
E como o rei de Thule da balada
Deitei também a minha taça ao mar...

"NOITE TRÁGICA"

O Pavor e a Angústia andam dançando...
Um sino grita endeixas de poentes...
Na meia-noite d'hoje, soluçando,
Que presságios sinistros e dolentes!...

Tenho medo da noite!... Padre nosso
Que estais no céu... O que a minh'alma teme!
Tenho medo da noite!... Que alvoroço
Anda nesta alma enquanto o sino geme!

Jesus! Jesus, que noite imensa e triste!
A quanta dor a nossa dor resiste
Em noite assim que a própria Dor parece...

Ó noite imensa, ó noite do Calvário
Leva contigo envolto no sudário
Da tua dor a dor que me não 'squece!

SONHOS

Ter um sonho, um sonho lindo,
Noite branda de luar,
Que se sonhasse a sorrir...
Que se sonhasse a chorar...

Ter um sonho, que nos fosse
A vida, a luz, o alento,
Que ao sonhar beijasse doce
A nossa boca... um lamento...

Ser pra nós o guia, o norte,
Na vida o único trilho;
E depois ver vir a morte

Despedaçar esses laços!...
... É pior que ter um filho
Que nos morresse nos braços!

VULCÕES

Tudo é frio e gelado. O gume dum punhal
Não tem a lividez sinistra da montanha
Quando a noite a inunda dum manto sem igual
De neve branca e fria onde o luar se banha.

No entanto que fogo, que lavas, a montanha
Oculta no seu seio de lividez fatal
Tudo é quente lá dentro... e que paixão tamanha
A fria neve envolve em seu vestido ideal!

No gelo da indiferença ocultam-se as paixões
Como no gelo frio do cume da montanha
Se oculta a lava quente do seio dos vulcões...

Assim quando eu te falo alegre, friamente,
Sem um tremor de voz, mal sabes tu que estranha
Paixão palpita e ruge em mim doida e fremente!

ERRANTE

Meu coração da cor dos rubros vinhos
Rasga a mortalha do meu peito brando,
E vai fugindo, e tonto vai andando
A perder-se nas brumas dos caminhos.

Meu coração é místico profeta,
O paladino audaz da desventura,
Que sonha ser um santo e um poeta
Vai procurar o Paço da Ventura...

Meu coração não chega lá decerto...
Não conhece o caminho nem o trilho,
Nem há memória desse sítio incerto...

Eu tecerei uns sonhos irreais...
Como essa mãe que viu partir o filho,
Como esse filho que não voltou mais!

SÓ

Eu tenho pena da Lua!
Tanta pena, coitadinha,
Quando tão branca, na rua
A vejo chorar sozinha!...

As rosas nas alamedas,
E os lilases cor da neve
Confidenciam de leve
E lembram arfar de sedas...

Só a triste, coitadinha...
Tão triste na minha rua
Lá anda a chorar sozinha...

Eu chego então à janela:
E fico a olhar pra lua...
E fico a chorar com ela!...

SONETOS

Ao grande e estranho poeta A. Durão

CEGUEIRA BENDITA

Ando perdida nestes Sonhos verdes
De ter nascido e não saber quem sou,
Ando ceguinha a tatear paredes
E nem ao menos sei quem me cegou!

Não vejo nada, tudo é morto e vago...
E a minha alma cega, ao abandono
Faz-me lembrar o nenúfar dum lago
'Stendendo as asas brancas cor do sono...

Ter dentro d'alma a luz de todo o mundo
E não ver nada neste mar sem fundo,
Poetas meus Irmãos, que triste sorte!...

E chamam-nos a nós Iluminados!
Pobres cegos sem culpas, sem pecados
A sofrer pelos outros 'té à morte!

NOIVADO ESTRANHO

O Luar branco, um riso de Jesus,
Inunda a minha rua toda inteira,
E a Noite é uma flor de laranjeira
A sacudir as pétalas de luz...

O Luar é uma lenda de balada
Das que avozinhas contam à lareira,
E a Noite é uma flor de laranjeira
Que jaz na minha rua desfolhada...

O Luar vem cansado, vem de longe,
Vem casar-se co'a Terra, a feiticeira
Que enlouqueceu d'amor o pobre monge...

O Luar empalidece de cansado...
E a Noite é uma flor de laranjeira
A perfumar o místico noivado!...

O LIVRO D'ELE

1915-1917

JUNQUILHOS...

Nessa tarde mimosa de saudade
Em que eu te vi partir, ó meu amor,
Levaste-me a minh'alma apaixonada
Nas olhas perfumadas duma flor.

E como a alma, dessa florzita,
Que é a minha, por ti palpita amante!
Oh alma doce, pequenina e branca,
Conserva o teu perfume estonteante!

Quando fores velha, emurchecida e triste,
Recorda ao meu amor, com teu perfume
A paixão que deixou e qu'inda existe...

Ai, dize-lhe que se lembre dessa tarde,
Que venha aquecer-se ao brando lume
Dos meus olhos que morrem de saudade!

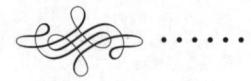

O TEU OLHAR

Quando fito o teu olhar,
Duma tristeza fatal,
Dum tão íntimo sonhar,
Penso logo no luar
Bendito de Portugal!

O mesmo tom de tristeza,
O mesmo vago sonhar,
Que me traz a alma presa
Às festas da Natureza
E à doce luz desse olhar!

Se algum dia, por meu mal,
A doce luz me faltar
Desse teu olhar ideal,
Não se esqueça Portugal
De dizer ao seu luar

Que à noite, me vá depor
Na campa em que eu dormitar,
Essa tristeza, essa dor,
Essa amargura, esse amor,
Que eu lia no teu olhar!

DOCE MILAGRE

O dia chora. Agonizo
Com ele meu doce amor.
Nem a sombra dum sorriso,
Na Natureza diviso,
A dar-lhe vida e frescor!

A triste bruma, pesada,
Parece, detrás da serra
Fina renda, esfarrapada,
De Malines, desdobrada
Em mil voltas pela terra!

(O dia parece um réu.
Bate a chuva nas vidraças.)

As avezitas, coitadas,
'Squeceram hoje o cantar.
As flores pendem, fanadas
Nas finas hastes, cansadas
De tanto e tanto chorar...

O dia parece um réu.
Bate a chuva nas vidraças.
É tudo um imenso véu.
Nem a terra nem o céu
Se distingue. Mas tu passas...

E o sol doirado aparece.
O dia é uma gargalhada.
A Natureza endoidece
A cantar. Tudo enternece
A minh'alma angustiada!

Rasgam-se todos os véus
As flores abrem, sorrindo.
Pois se eu vejo os olhos teus
A fitarem-se nos meus,
Não há de tudo ser lindo?!

Se eles são prodigiosos
Esses teus olhos suaves!
Basta fitá-los, mimosos,
Em dias assim chuvosos,
Para ouvir cantar as aves!

A Natureza, zangada,
Não quer os dias risonhos?...
Tu passas... e uma alvorada
Pra mim abre perfumada,
Enche-me o peito de sonhos!

CARTA PARA LONGE

O tempo vai um encanto,
A Primavera 'stá linda,
Voltaram as andorinhas...
E tu não voltaste ainda!...

Por que me fazes sofrer?
Por que te demoras tanto?
A Primavera 'stá linda...
O tempo vai um encanto...

Tu não sabes, meu amor,
Que, quem 'spera, desespera?
O tempo está um encanto...
E vai linda a Primavera...

Há imensas andorinhas;
Cobrem a terra e o céu!
Elas voltaram aos ninhos...
Volta também para o teu!...

Adeus. Saudades do sol,
Da madressilva e da hera;
Respeitosos cumprimentos
Do tempo e da Primavera.

Mil beijos da tua q'rida,
Que é tua por toda a vida.

TRISTE PASSEIO

Vou pela estrada, sozinha.
Não me acompanha ninguém.
— Num atalho, em voz mansinha:
"Como está ele? Está bem?"

É a toutinegra curiosa;
Há em mim um doce enleio...
Nisto pergunta uma rosa:
"Então ele? Inda não veio?"

Sinto-me triste, doente...
E nem me deixam esquecê-lo!...
Nisto o sol impertinente:
"Sou um fio do seu cabelo..."

Ainda bem. É noitinha.
Enfim já posso pensar!
Ai, já me deixam sozinha!
De repente, ouço o luar:

"Que imensa mágoa me invade,
Que dor o meu peito sente!
Tenho uma enorme saudade!
De ver o teu doce ausente!"

Volto a casa. Que tristeza!

Inda é maior minha dor...
Vem depressa. A natureza
Só fala de ti, amor!

MENTIRAS

*"Ai quem me dera uma feliz mentira,
Que fosse uma verdade para mim!"*

J. Dantas

Tu julgas que eu não sei que tu me mentes
Quando o teu doce olhar pousa no meu?
Pois julgas que eu não sei o que tu sentes?
Qual a imagem que alberga o peito teu?

Ai, se o sei, meu amor! Eu bem distingo
O bom sonho da feroz realidade...
Não palpita d'amor, um coração
Que anda vogando em ondas de saudade!

Embora mintas bem, não te acredito;
Perpassa nos teus olhos desleais,
O gelo do teu peito de granito...

Mas finjo-me enganada, meu encanto,
Que um engano feliz vale bem mais
Que um desengano que nos custa tanto!

OS MEUS VERSOS

Leste os meus versos? Leste? E adivinhaste
O encanto supremo que os ditou?
Acaso, quando os leste, imaginaste
Que era o teu esse olhar que os inspirou?

Adivinhaste? Eu não posso acreditar
Que adivinhasses, vês? E até, sorrindo.
Tu disseste para ti: "Por um olhar
Somente, embora fosse assim tão lindo,

Ficar amando um homem!... Que loucura!"
— Pois foi o teu olhar; a noite escura,
(Eu só a ti digo, e muito a medo...)

Que inspirou esses versos! Teu olhar
Que eu trago dentro d'alma a soluçar!
....
Aí não descubras nunca o meu segredo!

[SEM TÍTULO]

Meu fado, meu doce amigo
Meu grande consolador
Eu quero ouvir-te rezar,
Orações à minha dor!

Só no silêncio da noite
Vibrando perturbador,
Quantas almas não consolas
Nessa toada d'amor!

Cantando p'r uma voz pura
Eu quero ouvir-te também
P'r uma voz que me recorde
A doce voz do meu bem!

Pela calada da noite
Quando o luar é dolente
Eu quero ouvir essa voz
Docemente... docemente...

AOS OLHOS D'ELE

Não acredito em nada. As minhas crenças
Voaram como voa a pomba mansa,
Pelo azul do ar. E assim fugiram
As minhas doces crenças de criança.

Fiquei então sem fé; e a toda a gente
Eu digo sempre, embora magoada:
Não acredito em Deus e a Virgem Santa
É uma ilusão apenas e mais nada!

Mas avisto os teus olhos, meu amor,
Duma luz suavíssima de dor...
E grito então ao ver esses dois céus:

Eu creio, sim, eu creio na Virgem Santa
Que criou esse brilho que m'encanta!
Eu creio, sim, creio, eu creio em Deus!

MISTÉRIO D'AMOR

Um mistério que trago dentro em mim
Ajuda-me, minh'alma a descobrir...
É um mistério de sonho e de luar
Que ora me faz chorar, ora sorrir!

Vivemos tanto tempo tão amigos!
E sem que o teu olhar puro toldasse
A pureza do meu. E sem que um beijo
As nossas bocas rubras desfolhassem!

Mas um dia, uma tarde... houve um fulgor,
Um olhar que brilhou... e mansamente...
Ai, dize ó meu encanto, meu amor:

Porque foi que somente nessa tarde
Nos olhamos assim tão docemente
Num grande olhar d'amor e de saudade?!

ESCREVE-ME...

Escreve-me! Ainda que seja só
Uma palavra, uma palavra apenas,
Suave como o teu nome e casta
Como um perfume casto d'açucenas!

Escreve-me! Há tanto, há tanto tempo
Que te não vejo, amor! Meu coração
Morreu já, e no mundo aos pobres mortos
Ninguém nega uma frase d'oração!

"Amo-te!" Cinco letras pequeninas,
Folhas leves e tenras de boninas,
Um poema d'amor e felicidade!

Não queres mandar-me esta palavra apenas?
Olha, manda então... brandas... serenas...
Cinco pétalas roxas de saudade...

O TEU SEGREDO

O mundo diz-te alegre porque o riso
Desabrocha em tua boca, docemente
Como uma flor de luz! Meigo sorriso
Que na tua boca pousa alegremente!

Chama-te o mundo alegre. Ai, meu amor,
Só eu inda li bem nessa alegria!...
Também parece alegre a triste cor
Do sol, à tarde, ao despedir-se o dia!...

És triste; eu sei. Toda suavidade
Tão roxa, como é roxa uma saudade
É a tua alma, amor, cheia de mágoa.

Eu sei que és triste, sei. O meu olhar
Descobriu o segredo, que a cantar
Repousa nos teus olhos rasos d'água!...

DOCE CERTEZA

Por essa vida fora hás de adorar
Lindas mulheres, talvez; em ânsia louca,
Em infinito anseio hás de beijar
Estrelas d'oiro fulgindo em muita boca!

Hás de guardar em cofre perfumado
Cabelos d'oiro e risos de mulher,
Muito beijo d'amor apaixonado;
E não te lembrarás de mim sequer!...

Hás de tecer uns sonhos delicados...
Hão de por muitos olhos magoados,
Os teus olhos de luz andar imersos!

Mas nunca encontrarás p' la vida fora,
Amor assim como este amor que chora
Neste beijo d'amor que são meus versos!

SONHO MORTO

Nosso sonho morreu. Devagarinho,
Rezemos uma prece doce e triste
Por alma desse sonho! Vá... baixinho...
Por esse sonho, amor, que não existe!

Vamos encher-lhe o seu caixão dolente
De roxas violetas; triste cor!
Triste como ele, nascido ao sol poente,
O nosso sonho... ai!... reza baixo... amor...

Foste tu que o mataste! E foi sorrindo,
Foi sorrindo e cantando alegremente,
Que tu mataste o nosso sonho lindo!

Nosso sonho morreu... Reza mansinho...
Ai, talvez que rezando, docemente,
O nosso sonho acorde... mais baixinho...

SONHANDO...

É noite pura e linda. Abro a minha janela
E olho suspirando o infinito céu,
Fico a sonhar de leve em muita coisa bela
Fico a pensar em ti e neste amor que é teu!

D'olhos fechados sonho. A noite é uma elegia
Cantando brandamente um sonho todo d'alma
E enquanto a lua branca o linho bom desfia
Eu sinto almas passar na noite linda e calma.

Lá vem a tua agora... Numa carreira louca
Tão perto que passou, tão perto à minha boca
Nessa carreira doida, estranha e caprichosa

Que a minh'alma cativa estremece, esvoaça
Para seguir a tua, como a folha de rosa
Segue a brisa que a beija... e a tua alma passa!...

DESEJO

Quero-te ao pé de mim na hora de morrer.
Quero, ao partir, levar-te, todo suavidade,
Ó doce olhar de sonho, ó vida dum viver
Amortalhado sempre à luz duma saudade!

Quero-te junto a mim quando o meu rosto branco
Se ungir da palidez sinistra do não ser,
E quero ainda, amor, no meu supremo arranco
Sentir junto ao meu seio teu coração bater!

Que seja a tua mão tão branda como a neve
Que feche o meu olhar numa carícia leve
Em doce perpassar de pétala de lis...

Que seja a tua boca rubra como o sangue
Que feche a minha boca, a minha boca exangue!...
....
Ah, venha a morte já que eu morrerei feliz!...

CONFISSÃO

Aborreço-te muito. Em ti há qualquer coisa
De frio e de gelado, de pérfido e cruel,
Como um orvalho frio no tampo duma lousa,
Como em doirada taça algum amargo fel.

Odeio-te também. O teu olhar ideal
O teu perfil suave, a tua boca linda,
São belas expressões de todo o humano mal
Que inunda o mar e o céu e toda a terra infinda.

Desprezo-te também. Quando te ris e falas,
Eu fico-me a pensar no mal que tu calas
Dizendo que me queres em íntimo fervor!

Odeio-te e desprezo-te. Aqui toda a minh'alma
Confessa-to a rir, muito serena e calma!
....
Ah, como eu te adoro, como eu te quero, amor!...

AONDE?...

Ando a chamar por ti, demente, alucinada,
Aonde estás, amor? Aonde... aonde... aonde?...
O eco ao pé de mim segreda... desgraçada...
E só a voz do eco, irônica, responde!

Estendo os braços meus! Chamo por ti ainda!
O vento, aos meus ouvidos, soluça a murmurar;
Parece a tua voz, a tua voz tão linda
Cantando como um rio banhado de luar!

Eu grito a minha dor, a minha dor intensa!
Esta saudade enorme, esta saudade imensa!
E só a voz do eco à minha voz responde...

Em gritos, a chorar, soluço o nome teu
E grito ao mar, à terra, ao puro azul do céu:
Aonde estás, amor? Aonde... aonde... aonde?...

QUEM SABE?!...

Eu sigo-te e tu foges. É este o meu destino:
Beber o fel amargo em luminosa taça,
Chorar amargamente um beijo teu, divino,
E rir olhando o vulto altivo da desgraça!

Tu foges-me, e eu sigo o teu olhar bendito;
Por mais que fujas sempre, um sonho há de alcançar-te
Se um sonho pode andar por todo o infinito,
De que serve fugir se um sonho há de encontrar-te?!

Demais, nem eu talvez, perceba se o amor
É este perseguir de raiva, de furor,
Com que eu te sigo assim como os rafeiros leais.

Ou se é então a fuga eterna, misteriosa,
Com que me foges sempre, ó noite tenebrosa!
....
Por me fugires, sim, talvez me queiras mais!

HUMILDADE

Toda a terra que pisas, eu q'ria, ajoelhada,
Beijar terna e humilde em lânguido fervor;
Q'ria poisar fervente a boca apaixonada
Em cada passo teu, ó meu bendito amor!

De cada beijo meu, havia de nascer
Uma sangrenta flor! Ébria de luz, ardente!
No colo purpurino havia de trazer
Desfeito no perfume o mist'rioso Oriente!

Q'ria depois colher essas flores reais,
Essas flores de sonho, estranhas, sensuais,
E lançar-tas aos pés em perfumados molhos.

Bem paga ficaria, ó meu cruel amante!
Se, sobre elas, eu visse apenas um instante
Cair como um orvalho os teus divinos olhos!

ORAÇÃO DE JOELHOS

Bendita seja a mãe que te gerou!
Bendito o leite que te fez crescer!
Bendito o berço aonde te embalou
A tua ama pra te adormecer!

Bendito seja o brilho do luar
Da noite em que nasceste tão suave,
Que deu essa candura ao teu olhar
E à tua voz esse gorjeio d'ave!

Benditos sejam todos que te amarem!
Os que em volta de ti ajoelharem
Numa grande paixão, fervente, louca!

E se mais, que eu, um dia te quiser
Alguém, bendita seja essa mulher!
Bendito seja o beijo dessa boca!

AOS OLHOS D'ELE

É noite de luar casto e divino.
Tudo é brancura, tudo é castidade...
Parece que Jesus, doce bambino,
Anda pisando as ruas da cidade...

E eu que penso na suavidade
Do tempo que não volta, que não passa,
Olho o luar, chorando de saudade
De teus olhos claros cheios de graça!...

Oceanos de luz que procurando
O seu leito d'amor, andam sonhando
Por esta noite linda de luar...

Talvez o perfumado, o brando leito
Que procurais, ó olhos, no meu peito
Esteja à vossa espera a soluçar...

DESDÉM

Andas dum lado pro outro
Pela rua passeando;
Finges que não queres ver
Mas sempre me vais olhando.

É um olhar fugidio,
Olhar que dura um instante,
Mas deixa um rasto de estrelas
O doce olhar saltitante...

É esse rasto bendito
Que atraiçoa o teu olhar,
Pois é tão leve e fugaz
Que eu nem o sinto passar!

Quem tem uns olhos assim
E quer fingir o desdém,
Não pode nem um instante
Olhar os olhos d'alguém...

Por isso vai caminhando...
E se queres a muita gente
Demonstrar que me desprezas
Olha os meus olhos de frente!...

RÚSTICA

Eu q'ria ser camponesa;
Ir esperar-te à tardinha
Quando é doce a Natureza
No silêncio da devesa,
E só voltar à noitinha...

Levar o cântaro à fonte
Deixá-lo devagarinho,
E correndo pela ponte
Que fica detrás do monte
Ir encontrar-te sozinho...

E depois quando o luar
Andasse pelas estradas,
D'olhos cheios do teu olhar
Eu voltaria a sonhar,
P'los caminhos de mãos dadas.

E depois se toda a gente
Perguntasse: "Que encarnada,
Rapariga! Estás doente?"
Eu diria: "É do poente,
Que assim me fez encarnada!"

E fitando ao longe a ponte,
Com meu olhar cheio do teu,
Diria a sorrir pro monte:
"O cant'ro ficou na fonte
Mas os beijos trouxe-os eu..."

?!

Se as tuas mãos divinas folhearem
As páginas de luto uma por uma
Deste meu livro humilde; se poisarem
Esses teus claros olhos como espuma

Nos meus versos d'amor, se docemente
Tua boca os beijar, lendo-os, um dia;
Se o teu sorrir pairar suavemente
Nessas palavras minhas d'agonia,

Repara e vê! Sob essas mãos benditas,
Sob esses olhos teus, sob essa boca,
Hão de pairar carícias infinitas!

Eu atirei minh'alma como um rito
Às trevas desse livro, assim, ó louca!
A noite atira sóis ao infinito!..

SÚPLICA

A prece que eu murmuro, a soluçar
Ao Deus todo bondade e todo amor,
É rezada de rastos no altar
Onde a tristeza reza com a dor!

A minha boca reza-a comovida,
Chora-a meus olhos, beija-a o meu peito
Sonha-a minh' alma sempre enternecida
Ao ver-te rir, ó meu Amor Perfeito..

Que o Deus do céu atenda a minha prece,
Embora eu saiba nesta desventura
Que Deus só ouve aquele que o merece!

Mas vou pedindo ao Deus de piedade,
Que te conceda anos de ventura,
Como dias a mim de inf'licidade!...

ESCUTA...

À Beatriz Carvalho

Escuta, amor, escuta a voz que ao teu ouvido
Te canta uma canção na rua em que morei,
Essa soturna voz há de contar-te, amigo
Por essa rua minha os sonhos que sonhei!

Fala d'amor a voz em tom enternecido,
Escuta-a com bondade. O muito que te amei
Anda pairando aí em sonho comovido
A envolver-te em oiro!... Assim s'envolve um rei!

Num nimbo de saudade e doce como a asa
Recorta-se no céu a minha humilde casa
Onde ficou minh'alma assim como penada

A arrastar grilhões como um fantasma triste.
É dela a voz que fala, é dela a voz que existe
Na rua em que morei... Anda crucificada!

A ESTA HORA...

A esta hora branda d'amargura,
A esta hora triste em que o luar
Anda chorando, Ó minha desventura
Onde estás tu? Onde anda o teu olhar?

A noite é calma e triste... a murmurar
Anda o vento, de leve, na doçura
Ideal do aveludado ar
Onde estrelas palpitam... Noite escura

Dize-me onde ele está o meu amor,
Onde o vosso luar o vai beijar,
Onde as vossas estrelas co fulgor

Do seu brilho de fogo o vão cobrir!
Dize-me onde ele está!... Talvez a olhar
A mesma noite linda a refulgir...

SOL POSTO

Sol posto. O sino ao longe dá Trindades
Nas ravinas do monte andam cantando
As cigarras dolentes... E saudades
Nos atalhos parecem dormitando...

É esta a hora em que a suave imagem
Do bem que já foi nosso nos tortura
O coração no peito, em que a paisagem
Nos faz chorar de dor e d'amargura...

É a hora também em que cantando
As andorinhas vão p'lo meio das ruas
Para os ninhos, contentes, chilreando...

Quem me dera também, amor, que fosse
Esta a hora de todas a mais doce
Em que eu unisse as minhas mãos às tuas!...

ESTRELA CADENTE

Traço de luz... lá vai! Lá vai! Morreu.
Do nosso amor me lembra a suavidade...
Da estrela não ficou nada no céu
Do nosso sonho em ti nem a saudade!

Pra onde iria a 'strela? Flor fugida
Ao ramalhete atado no infinito...
Que ilusão seguiria entontecida
A linda estrela de fulgir bendito?...

Aonde iria, aonde iria a flor?
(Talvez, quem sabe?... ai quem soubesse, amor!)
Se tu o vires minha bendita estrela

Alguma noite... Deves conhecê-lo!
Falo-te tanto nele!... Pois ao vê-lo
Dize-lhe assim: "Por que não pensas nela?"

VERSOS

Versos! Versos! Sei lá o que são versos...
Pedaços de sorriso, branca espuma,
Gargalhadas de luz, cantos dispersos,
Ou pétalas que caem uma a uma...

Versos!... Sei lá! Um verso é teu olhar,
Um verso é teu sorriso e os de Dante
Eram o seu amor a soluçar
Aos pés da sua estremecida amante!

Meus versos!... Sei eu lá também que são...
Sei lá! Sei lá!... Meu pobre coração
Partido em mil pedaços são talvez...

Versos! Versos! Sei lá o que são versos..
Meus soluços de dor que andam dispersos
Por este grande amor em que não crês!...

© *Copyright* desta edição: Editora Martin Claret Ltda., 2015.
Edições utilizadas para cotejo: *Sonetos*. Portugal, Bertrand, 1978. /
Poesia completa. 3ª ed. org. Rui Guedes. Biblioteca digital do Alentejo, Lisboa.

Direção
MARTIN CLARET

Produção editorial
CAROLINA MARANI LIMA / FLÁVIA P. SILVA

Diagramação
GIOVANA QUADROTTI

Projeto gráfico, direção de arte e capa
JOSÉ DUARTE T. DE CASTRO

Ilustração de capa
OLGA KORNNEEVA - SHUTTERSTOCK

Revisão
PATRÍCIA MURARI / FLÁVIA PEREIRA

Impressão e acabamento
GEOGRÁFICA EDITORA

A ortografia deste livro segue o novo Acordo Ortográfico da Língua Portuguesa.

Dados Internacionais de Catalogação na Publicação (CIP)
(Câmara Brasileira do Livro, SP, Brasil)

Espanca, Florbela, 1894-1930.
Antologia poética de Florbela Espanca — São Paulo:
Martin Claret, 2015. — (Edição especial)

1. Poesia portuguesa I. título
ISBN 978-85-440-0034-2

14-10737   CDD-869.1

Índices para catálogo sistemático:

1. Poesia: Literatura portuguesa   869.1

EDITORA MARTIN CLARET LTDA.
Rua Alegrete, 62 — Bairro Sumaré — CEP: 01254-010 — São Paulo — SP
Tel.: (11) 3672-8144
www.martinclaret.com.br
7ª reimpressão – 2023

CONTINUE COM A GENTE!

- Editora Martin Claret
- editoramartinclaret
- @EdMartinClaret
- www.martinclaret.com.br